CHRISTIAN KRACHT FASERLAND

CHRISTIAN KRACHT

FASERLAND

ROMAN

KIEPENHEUER & WITSCH

Verlag Kiepenheuer & Witsch, FSC-N001512

3. Auflage 2021

Umschlaggestaltung und -motiv: © Christian Flamm
Autorenfoto: © Rafael Horzon
Satz: Fotosatz Amann, Aichstetten
Druck und Bindearbeiten:
GGP Media GmbH, Pößneck
ISBN 978-3-462-04239-9

Alle hier beschriebenen Personen und alle Begebenheiten sind, von den gelegentlich erwähnten Personen des öffentlichen Lebens abgesehen, frei erfunden. Jede Ähnlichkeit mit lebenden Personen ist völlig unbeabsichtigt.

Für meine Schwester Dominique.

Vielleicht hat es so begonnen. Du denkst,
du ruhst dich einfach aus, weil man dann besser
handeln kann, wenn es soweit ist, aber ohne
jeden Grund, und schon findest du dich machtlos,
überhaupt je wieder etwas tun zu können.
Spielt keine Rolle, wie es passiert ist.

Samuel Beckett
Der Namenlose

Give me, give me – pronto – Amaretto.

The Would-Be-Goods

INHALT

EINS

Also, es fängt damit an, daß ich bei Fisch-Gosch in List auf Sylt stehe und ein Jever aus der Flasche trinke. Fisch-Gosch, das ist eine Fischbude, die deswegen so berühmt ist, weil sie die nördlichste Fischbude Deutschlands ist. Am obersten Zipfel von Sylt steht sie, direkt am Meer, und man denkt, da käme jetzt eine Grenze, aber in Wirklichkeit ist da bloß eine Fischbude.

Also, ich stehe da bei Gosch und trinke ein Jever. Weil es ein bißchen kalt ist und Westwind weht, trage ich eine Barbourjacke mit Innenfutter. Ich esse inzwischen die zweite Portion Scampis mit Knoblauchsoße, obwohl mir nach der ersten schon schlecht war. Der Himmel ist blau. Ab und zu schiebt sich eine dicke Wolke vor die Sonne. Vorhin hab ich Karin wiedergetroffen. Wir kennen uns noch aus Salem, obwohl wir damals nicht miteinander geredet haben, und ich hab sie ein paar mal im Traxx in Hamburg gesehen und im P1 in München.

Karin sieht eigentlich ganz gut aus, mit ihrem blonden Pagenkopf. Bißchen zuviel Gold an den Fingern für meinen Geschmack. Obwohl, so wie sie lacht, wie sie das Haar aus dem Nacken wirft und sich leicht nach hinten lehnt, ist sie sicher gut im Bett. Außerdem hat sie mindestens schon zwei Gläser Chablis getrunken. Karin studiert BWL in München. Das erzählt sie wenigstens. Genau kann man sowas ja nicht wissen. Sie trägt auch eine Barbourjacke, allerdings eine blaue. Eben, als wir über Barbourjacken sprachen, hat sie gesagt, sie wolle sich keine grüne kaufen, weil die blauen schöner aussehen, wenn sie abgewetzt sind. Das glaube ich aber nicht. Meine grüne Barbour gefällt mir besser. Abgewetzte Barbourjacken, das führt zu nichts. Das erkläre ich später, was ich damit meine.

Karin ist mit dem dunkelblauen S-Klasse-Mercedes ihres Bruders hier, der in Frankfurt Warentermingeschäfte macht. Sie erzählt, daß der Mercedes ganz gut ist, weil der wahnsinnig schnell fährt und ein Telefon hat. Ich sage ihr, daß ich Mercedes aus Prinzip nicht gut finde. Dann sagt sie, daß es sicher heute abend regnen wird, und ich sage ihr: Nein, ganz bestimmt nicht. Ich stochere mit der Gabel in den Scampis herum. Ich mag die nicht mehr aufessen. Karin hat ziemlich blaue Augen. Ob das gefärbte Kontaktlinsen sind?

Jetzt erzählt sie von Gaultier und daß der nichts mehr auf die Reihe kriegt, designmäßig, und daß sie Christian Lacroix viel besser findet, weil der so unglaubliche Farben verwendet oder so ähnlich. Ich hör nicht genau zu.

Andauernd ruft jemand von Gosch über das Mikrophon irgendwelche bestellten Muschelgerichte aus und das lenkt mich immer wieder ab, weil ich mir vorstelle, daß eine der Muscheln verseucht ist und heute nacht irgendein chablistrinkender Prolet ganz schlimme Bauchschmerzen kriegt und ins Krankenhaus gebracht werden muß mit Verdacht auf Salmonellen oder irgendsowas. Ich muß grinsen, wie ich mir das vorstelle, und Karin denkt, ich grinse über den Witz, den sie gerade erzählt hat und grinst zurück, obwohl ich, wie gesagt, gar nicht zugehört hab.

Ich zünde mir eine Zigarette an, und während Karin weitererzählt, beobachte ich, wie ein schwarzer Windhund mit einem Halsband, auf das so winzige goldene Kühe geklebt sind, eine große Kackwurst neben einen Tisch setzt.

Der Hund kackt komischerweise halb im Stehen, und ich kann genau erkennen, wie ein Viertel der Wurst an seinem Hintern klebenbleibt.

Ich muß schon wieder grinsen, obwohl mir jetzt richtig schlecht ist, weil ja auch die Scampis irgendwie komisch geschmeckt haben, und ich unterbreche Karin und frage sie, ob wir nicht ins Odin fahren wollen, nach Kampen. Sie sagt ja, und ich trinke mein Bier aus, obwohl mir Jever eigentlich gar nicht schmeckt, und wir laufen zu ihrem Auto, da ich gerade keine Lust habe, in meinem engen Triumph zu sitzen.

Sie schließt ihren Wagen auf, und wir steigen ein, und es riecht innen noch ganz neu, nach Leder. Ich werfe meine Zigarette aus dem Fenster, während Karin losfährt, weil ich diesen neuen Geruch nicht zerstören mag und weil sie nicht raucht. Sie legt eine Kassette ein, und während ein ganz schlechtes Lied von Snap aus den Boxen kommt, überholt sie einen Golf, in dem ein ziemlich hübsches Mädchen sitzt. Ich setze meine Sonnenbrille auf, und Karin erzählt irgend etwas, und ich sehe aus dem Fenster.

Links und rechts der Straße rast Sylt an uns vorbei, und ich denke: Sylt ist eigentlich super schön. Der Himmel ist ganz groß, und ich habe so ein Gefühl, als ob ich die Insel genau kenne. Ich meine, ich kenne das, was unter der Insel liegt oder dahinter, ich weiß jetzt nicht, ob ich mich da richtig ausgedrückt habe. Ich kann mich natürlich auch täuschen.

Kurz vor Kampen biegt Karin plötzlich rechts ab, auf den Parkplatz von Buhne 16, dem Nacktbadestrand, und ich denke, Moment mal, was kommt denn jetzt? Wir parken direkt zwischen einem Porsche und so einem blöden

Geländewagen und steigen aus, und weil ich Karin durch meine Sonnenbrille etwas fragend ansehe, merkt sie, daß ich eben im Auto nicht zugehört hab. Sie lacht wieder auf ihre hübsche Art und erklärt mir, wir müßten vorher noch Sergio und Anne abholen, die gerade am Strand sitzen und daß die beiden extra vorhin mit dem Mobiltelefon angerufen hätten, bei ihr im Mercedes, meine ich.

Wir steigen aus, und ich denke daran, daß das Mobiltelefon sicher ziemlich versaut wird, dort am Strand, wegen dem Sand und dem Salzwasser. Karin drückt dem Parkwächter ein paar Mark in die Hand, und wir laufen auf dem Holzsteg durch die Dünen zum Strand. Während wir auf den verwitterten Holzbohlen laufen, redet Karin vom Schumanns in München und wie sie da neulich Maxim Biller kennengelernt hat und daß der so blitzgescheit gewesen ist und sie ein klein wenig Angst vor ihm gehabt hat.

Ab da höre ich nicht mehr zu, weil mir plötzlich dieser Geruch der Holzbohlen und des Meeres in die Nase steigt, und ich denke daran, wie ich als kleines Kind immer hierher gekommen bin, und beim ersten Tag auf Sylt war das immer der schönste Geruch: wenn man das Meer lange nicht gesehen hatte und sich riesig darauf freute und die Holzbohlen durch die Sonnenstrahlen so einen warmen Duft ausgeströmt haben. Das war ein freundlicher Geruch, irgendwie verheißungsvoll und, na ja, warm. Jetzt riecht es wieder so, und ich merke, wie ich fast ein bißchen heulen muß, also zünde ich mir schnell eine Zigarette an und fahre mir mit dem Ärmel meines Barbours über die Stirn.

Ziemlich peinlich, das Ganze, aber Karin hat davon nichts mitbekommen, außerdem ist sie gerade mit dem

Strandwächter beschäftigt, der die Kurkarten von den blöden Rentnern sehen will, die hier an den Strand wollen. Karin gibt dem Mann für uns beide zwölf Mark für eine Tageskarte, und ich will mich bei ihr bedanken, lasse es dann aber sein.

Die Sonne fängt an, vom Himmel zu stechen, und mir wird heiß und Karin offenbar auch, weil sie ihren Barbour auszieht und ihren Pullover auch. Der Pullover ist wirklich hübsch. Darunter trägt sie nur einen Body, und ich sehe, daß sie ziemlich große, feste Brüste hat, und ich merke, daß sie weiß, daß ich das sehe. Ihre Nippel stehen ein bißchen vor wegen dem Wind, der immer noch ziemlich kühl ist, obwohl die Sonne so sticht.

Ich ziehe mir auch die Barbourjacke aus und das Jackett, und krempele mir die Hemdsärmel hoch. Gut, daß ich die Sonnenbrille dabei hab, denke ich. Der Seewind wirbelt meine zurückgegelten Haare nach vorne. Ich habe nämlich vorne ziemlich lange hellbraune Haare, und wenn ich mir sie runterziehe, dann gehen sie mir übers Kinn. In dem Moment fällt mir ein, daß ich in der Innentasche der Barbourjacke noch ein bißchen Haargel haben muß, und ich überlege, wann ich das Zeug benutzen könnte, ohne daß es gleich peinlich aussieht.

Wir sind jetzt fast am Strand. Links und rechts sind die Dünen, und überall weht dieses Heidegras und der Strandhafer. Das sieht fast so aus wie Wellen an Land. Über uns kreischen Seemöwen, und ich denke daran, daß Göring, der hier auf Sylt Ferien machte, einmal seinen Blut-und-Ehre-Dolch hier verloren hat, mitten in den Dünen. Es gab eine riesige Suchaktion und eine hohe Belohnung für den Finder, und schließlich wurde der Dolch gefunden, von einem gewissen Boy Larsen oder so, einem Jungbauern. Das hieß damals so. Alle haben sich über den dicken Göring totgelacht, wie der beim Pinkeln in den Dünen seinen blöden Dolch verloren hat, nur der Boy Larsen nicht, weil der die Belohnung eingesackt hat. Erst danach hat er, glaube ich, herzlich gelacht.

Ich denke an den Namen Boy und daran, daß nur hier oben auf Sylt die Menschen so heißen, als ob das gar nicht mehr Deutschland wäre, sondern so ein Mittelding zwischen Deutschland und England. Hier auf Sylt stand die Flak, sozusagen auf vorgeschobenem Posten, und die Engländer waren lange hier stationiert nach dem Krieg, und als kleiner Junge habe ich in den letzten deutschen Bunkern gespielt, bei Westerland. Inzwischen hat man sie, glaube ich, gesprengt.

Da vorne, am Strand, in einem blau-weiß gestreiften Strandkorb, sitzen Sergio und Anne. Ich sehe die beiden sofort, weil ich Anne erkenne. Ich hab einmal im P1 versucht, sie aufzureißen, und das ist damals ziemlich in die Hose gegangen, da ich betrunken war und kotzen mußte, und als ich vom Klo zurückkam, war sie verschwunden. Jedenfalls glaube ich, daß es so war. Karin und ich steuern auf den Strandkorb zu. Wir sagen hallo, aber Anne erkennt mich nicht, oder sie tut so, als ob sie mich nicht erkennen würde. Die beiden haben zwei Flaschen Champagner dabei und bieten uns zwei Plastikbecher an. Karin redet mit Anne, also fange ich mit Sergio ein Gespräch an. Sergio, das ist so einer, der immer rosa Ralph-Lauren-Hemden tragen muß und dazu eine alte Rolex, und wenn er nicht barfuß wäre, mit hochgekrempelten Hosenbeinen, dann würde er Slipper tragen von Alden, das sehe ich sofort.

Um irgend etwas zu sagen, sage ich, daß es nachher regnen wird, und Sergio meint, daß das Wetter ganz bestimmt so bleibt. Ich merke, daß er einen Akzent hat, und frage ihn, woher er kommt, und er sagt: aus Kolumbien. Dann geht uns irgendwie der Gesprächsstoff aus, und Sergio redet nicht weiter, also zünde ich mir eine Zigarette an und sehe erst auf meine Fingernägel und dann aufs Meer.

Es gibt ein Geheimnis, das wir Kinder, die früher auf Sylt Ferien machten, immer erzählt bekamen, hinter vorgehaltener Hand: Weit draußen, vor Westerland, wo heute die riesige Nordsee liegt, gab es einmal eine Stadt, die Rungholt hieß. Diese Stadt war früher Teil der Insel, bis vor zweihundert Jahren oder so eine große Sturmflut kam und alles ins Meer zog, in den blanken Hans, so hieß das Meer nämlich damals. Jedenfalls sind alle Einwohner damals ertrunken, und das Geheimnis dabei war, daß man, wenn man bei Westwind genau hinhörte, die Kirchturmglocken von Rungholt hören konnte, wie sie unter dem Meer den Christen zum Gebet läuteten. Das hat uns immer eine Heidenangst eingejagt, diese Vorstellung, aber oft sind wir Kinder an den Strand gegangen, nachts, um zu lauschen, die Ohren ganz dicht in den Sand gepreßt.

Sergio nimmt sich inzwischen das Mobiltelefon und telefoniert auf spanisch mit irgend jemand und sieht mich dabei immer an, und das irritiert mich, also wende ich mich Karin und Anne zu. Wir trinken alle drei wie auf Kommando einen Schluck Roederer, und das sieht so komisch aus, daß Karin wieder lachen muß. Ich glaube, ich mag Karin ganz gerne.

Danach brechen wir auf, zurück zum Parkplatz. Karin

und ich steigen in ihren Mercedes und Sergio und Anne in den Land Cruiser, neben dem wir vorhin wie zufällig geparkt haben. Anne und Karin sind ziemlich angetrunken und fahren auch so. Ich erzähle Karin, daß das mein letzter Tag auf Sylt sei und daß ich morgen abfahre, und Karin nickt und sagt: Schade, und dann sieht sie mich an und lächelt. Es ist ein sehr schönes Lächeln.

Kurz hinter dem Kampener Ortsschild überfährt sie um ein Haar einen Rentner, der dort über die Straße läuft und das Auto nicht kommen sieht. Der Rentner trägt ein Cordhütchen und ein auberginefarbenes Blouson, und er schimpft wie ein Berserker hinter uns her, und ich sage zu Karin, daß das sicher ein Nazi ist, und Karin lacht.

Wir biegen in die Whiskystraße ein. Die Sonne steht schon tief am Himmel und taucht die Whiskystraße in ein goldenes Licht. Vielleicht heißt sie deswegen so, denke ich, nicht nur wegen den vielen Kneipen, sondern auch, weil sie so goldgelb aussieht, wenn die Sonne so schräg drauffällt wie jetzt. Ich bin ganz schön angetrunken, daß ich so einen Unsinn denke. Wir parken den Wagen, steigen aus und laufen zum Odin. Unterwegs streift Karins Hand ganz kurz meine Hand, und ich bekomme einen Hustenanfall.

Das Odin ist rappelvoll, obwohl es noch früh am Abend ist. Normalerweise bekommt man hier erst ab elf, halb zwölf Uhr keinen Platz mehr, aber heute ist schon alles belegt. Karin kennt die Besitzerin der Bar, und sie winkt freundlich und scheucht einen Kellner zu uns hin. Ich denke daran, daß die Bedienung im Odin immer gut aussieht, braungebrannt und so, und daß die immer extrem gutgelaunt sind, und ich überlege, woher das wohl kommt.

Der Haushund ist ein dunkelbrauner Labrador namens Max, und Karin gibt ihm anscheinend immer ein Brötchen, wenn sie im Odin ist, der Hund kennt das nämlich schon. Da kommt er auch schon angelaufen, drückt sich an den vielen Beinen vorbei und schnappt sich das Brötchen, das Karin ihm hinhält.

Danach bestellt sie zwei Flaschen Roederer, und als sie kommen, trinken wir jeder ein Glas auf ex, und jemand hinter der Bar legt *Hotel California* von den Eagles auf, und wie die Musik so spielt und der Hund Max sein Brötchen zerkaut und draußen die Sonne untergeht, fühle ich mich auf einmal so verdammt glücklich. Ich bekomme ein dämliches Grinsen, weil ich so glücklich bin, und Anne merkt das und fängt auch an zu grinsen, und jetzt grinst auch Karin und sogar Sergio muß lächeln.

Das Odin wird langsam zu voll. Am Nebentisch stehen drei Männer und reden ziemlich laut über ihren Testarossa. Sie tragen alle Cartier-Uhren, und man sieht ihnen förmlich an, daß sie Golf spielen. Die haben eine Behäbigkeit, die sich nach dreißig einstellt, so eine braungebrannte, unsympathische Behäbigkeit. Der eine wischt sich immer an der Nase herum, und tatsächlich verschwindet er alle zehn Minuten aufs Klo und kommt dann immer ganz erfrischt zurück und klatscht sich in die Hände und sagt immer so Zeug wie: Bestens, Männer!

Karin und ich sehen uns an, und Karin verdreht die Augen. Irgendwie ist es besser, man geht. Wir verabschieden uns von Sergio und von Anne, weil die noch bleiben wollen, und ich zahle die zwei Flaschen Roederer, damit ich vor Sergio angeben kann, obwohl mir das im gleichen Moment wieder extrem peinlich ist, und ich kaufe dann gleich noch eine dritte Flasche, die wir mitnehmen, und die Chefin küßt Karin dreimal auf die Wange, genau wie in Frankreich, und dann gibt die Chefin uns noch zwei Sektgläser mit.

Karin und ich laufen zu ihrem Wagen, und unterwegs sehe ich, wie ein völlig betrunkener junger Mann auf die Tür seines maulbeerfarbenen Porsche-Cabrios kotzt, während er versucht, den Wagen aufzuschließen. Ich sehe schnell auf die Autonummer. D wie Düsseldorf. Aha, ein Werber, denke ich. Das muß man sich mal vorstellen: Ein maulbeerfarbener Porsche.

Mehrere Leute sehen sich von der gegenüberliegenden Straßenseite das Ganze an und lachen hämisch, und ich glaube, da drüben auch Hajo Friedrichs zu erkennen, aber ich bin mir nicht ganz sicher, da ich gehört habe, daß der inzwischen so aufgeschwemmt ist im Gesicht. Ich frage Karin, ob ich nicht lieber fahren soll, da sie ganz schön betrunken ist, aber sie sagt nein, sie könne noch fahren, und ich setze mich auf den Beifahrersitz, und jetzt riecht es wieder nach Leder und ein bißchen nach Parfum.

Karin fährt los, und während der Fahrt erzählt sie irgend etwas, und ich bemühe mich zuzuhören, es gelingt mir aber nicht, und so starre ich sie von der Seite an. Wie ihr buntes Hermes-Halstuch sich gegen ihren braunen Hals abzeichnet und wie ihr braungebrannter Arm auf dem Lenkrad ruht, dieser Arm, der bedeckt ist mit kleinen goldenen Härchen, und ich erinnere mich daran, wie ich einmal, als kleiner Junge, neben einem kleinen Mädchen auf einem Handtuch am Strand von Kampen gelegen habe, wir beide auf dem Bauch, und das kleine Mädchen war eingeschlafen, und ich habe ihr den weißen Sand über den Arm rieseln lassen und beobachtet, wie sich der feine Sand in ihren Armhärchen verfangen hat. Davon ist sie aufgewacht, und sie hat mich angelächelt, und dann haben wir zusammen am Meer mit bunten Plastikschaufeln eine Sandburg gebaut. Ich hatte eine orangefarbene Schaufel, das weiß ich noch genau.

Vor der Kupferkanne rollt der Mercedes langsam aus. Die Reifen knirschen auf dem Kies, und Karin stellt den Motor ab. Ich höre ein Rauschen im Ohr und bilde mir ein, es wäre das Meer, aber das kann es ja gar nicht sein, weil wir hier auf der Wattseite sind. Wir sehen uns an, steigen aus und setzen uns auf einen der grünen Hügel vor der Kupferkanne.

Karin macht die Flasche Roederer auf, und sie läßt den Korken nicht knallen, und ich denke daran, wie sehr ich Menschen hasse, die einen Champagnerkorken ordentlich knallen lassen, damit sich alle umdrehen. Wir trinken aus den mitgebrachten Sektgläsern und beobachten die Leute, die in die Kupferkanne gehen. Danach sehen wir aufs Wattenmeer.

Karin legt ihre Hand auf meine Schulter, und da, wo ihre Hand ist, wird es warm, und dann küßt sie mich auf den Mund. Sie schmeckt nach Champagner und nach warmer Haut. Ich schließe die Augen, aber dann wird mir schwindelig, weil ich zuviel getrunken habe, also mache ich die Augen wieder auf. Wir küssen uns, und ich sehe ihr dabei in die blaugefärbten Kontaktlinsen, obwohl es schwierig ist, auf die kurze Entfernung die Sehschärfe zu behalten. Ich glaube, Karin ist auch ein bißchen schwindlig. Wir hören auf, uns zu küssen. Dann sieht sie mich an und sagt allen Ernstes, wir sollten uns morgen abend treffen, im Odin. Das sagt sie wirklich. Dabei habe ich ihr doch erklärt, daß ich morgen abfahre. Na ja, vielleicht hat sie das schon wieder vergessen.

Jedenfalls steht sie ziemlich schnell auf, stellt das Sektglas auf einen flachen Stein und läuft zu ihrem Auto. Sie steigt ein, läßt den Motor an und fährt los. Ich bleibe eine Weile auf dem Hügel sitzen, das leere Glas in der Hand. Etwas weiter entfernt studiert ein Rentnerpaar die Kuchenkarte. Kuchen jetzt? Es ist doch schon viel zu spät dafür, denke ich. Ich schenke mir aus der Champagnerflasche nach, aber der Roederer perlt nicht mehr, und als ich einen Schluck davon trinke, schmeckt er schal und flach und abgestanden und nach Asche. Ich glaube, ich werde nicht mehr nach Sylt fahren.

ZWEI

Am nächsten Tag nehme ich doch erst den Abendzug nach Hamburg, ohne Karin nochmal gesehen zu haben. Den Triumph habe ich auf der Insel gelassen. Bina wird schon darauf aufpassen. Im Speisewagen trinke ich ziemlich schnell hintereinander vier kleine Flaschen Ilbesheimer Herrlich, während bei Husum die Sonne untergeht.

Ich sehe aus dem Fenster und schmiere mir ein Brötchen mit Meggle-Butter aus den kleinen Plastiknäpfen, und diese norddeutsche Ebene zieht vorüber, Schafe und alles, und ich muß daran denken, wie ich mich früher immer aus dem Zugfenster gelehnt habe, den Kopf im Fahrtwind, bis die Augen tränten, und wie ich immer gedacht hab, wenn jetzt jemand auf der Toilette sitzt und pinkelt, dann fliegt die Pisse von unter dem Zug nach oben und zerstäubt in Fahrtrichtung ganz fein auf mein Gesicht, so daß ich es nicht merke, nur daß ich dann eben so einen Urinfilm auf dem Gesicht habe, und wenn ich mir mit der Zunge über die Lippen fahren würde, dann könnte ich das schmecken, die Pisse von Fremden. Da war ich zehn, als ich das gedacht habe.

Heute kann man die Fenster natürlich nicht mehr aufmachen, da im ICE, dessen Einrichtung ganz grauenvoll ist und mich immer an irgendwelche Einkaufspassagen erinnert, gar nichts mehr schön ist und erst recht gar nichts mehr so wie früher. Heute ist alles so transparent, ich weiß nicht, ob ich mich da richtig ausdrücke, jedenfalls ist alles aus Glas und aus so durchsichtigem türkisen Plastik, und es ist irgendwie körperlich unerträglich geworden.

Also, ich sitze da und versuche mich zu erinnern, wie die Züge früher waren, und der Ilbesheimer Herrlich knallt ganz ordentlich rein. Durch das Gerüttel dieses blöden Zuges verschütte ich auch noch einen Teil des Rotweines auf mein Kiton-Jackett, und wie man ja weiß, gehen Rotweinflecken nie raus, aber ich reibe trotzdem wie ein Irrer daran herum, schütte auch noch Salz aus dem DSG-Tütchen drauf, weil meine Mutter mir mal erzählt hat, das würde helfen. Natürlich nützt das überhaupt nichts, und wie ich da so sitze und reibe und schütte und inzwischen vollkommen betrunken bin, weil ich ja vorhin auch noch nichts gegessen habe, da kommt ein Mann an den Tisch und fragt, ob da noch frei sei.

Ich sehe erstaunt nach oben, weil ich diesen Satz *Ist da noch frei?* so unglaublich finde und kann gar nicht schnell genug reagieren, weil ich, wie gesagt, ziemlich betrunken bin, und da setzt sich der Mann auch schon hin, ohne eine Antwort abzuwarten, direkt mir gegenüber, und nimmt sich die Speisekarte vor. In dem Moment denke ich, daß ich doch lieber den Triumph genommen hätte.

Ich sehe mir den Mann an, wie er da so vor mir sitzt und die blöde bunte Speisekarte anguckt, und er hat tatsächlich so ein kleines Bärtchen, so einen Lenin-Bart, wie ihn jetzt die Leute im Mojo-Club tragen, aber er meint das gar nicht modisch, sondern völlig ernst, obwohl die Jazz-Freaks im Mojo-Club das ja eigentlich auch ernst meinen, nein, er trägt so ein Lenin-Beamtenbärtchen und mein Freund Nigel würde dazu sagen: Mösenbart.

Also, der Mann blättert in der Speisekarte, ruft dann die Kellnerin und bestellt zwei Bockwürste mit Kartoffelsalat und ein Bier, und als das Bier kommt, schenkt er sich ein, indem er das Glas leicht schräg hält, damit nicht soviel Schaum in das Glas kommt, und dann prostet er mir zu, das stimmt jetzt wirklich, er prostet mir zu und sagt: Mahlzeit. Dabei lächelt er.

Ich muß schon wieder an den Triumph denken und daß ich jetzt wahrscheinlich schon in Hamburg wäre, anstatt hier im Speisewagen zu sitzen und mich von Mösenbärten anprosten zu lassen. Ich sehe dem Mann genau in die Augen, obwohl mir das schwerfällt, die Sehschärfe zu kontrollieren, meine ich, und lächele nicht und sage nichts.

Der Mann zuckt mit den Schultern, nimmt aus einem Aktenkoffer unter dem Tisch den Stern und fängt an, darin zu blättern, und zwar von hinten nach vorne. Draußen ist es dunkel, und der Zug rattert gerade durch Heide/Holstein, jedenfalls steht das auf dem Bahnhofsschild, das man aber kaum erkennen kann, weil der Zug so schnell fährt, und ich erkenne es eigentlich auch nur, weil sich das Schild durch so komische Spiegeleffekte, über die man eigentlich nur nachdenkt, wenn man völlig betrunken ist, in der Glasscheibe spiegelt, und zwar erst in der Scheibe links, so, daß das Schild Heide/Holstein erst spiegelverkehrt erscheint, und dann in der Scheibe rechts richtig herum.

Die vierte Flasche Ilbesheimer Herrlich ist jetzt leer, und ich bestelle eine fünfte, und als die Kellnerin mit der Flasche kommt, zahle ich, wische mir die leicht angedickten, lilafarbenen Salzklümpchen vom Jackett, nehme den Wein und laufe zur Toilette. Das Gehen fällt mir ziemlich schwer. Ich sehe mir beide Kabinen an; eine ist innen rosa, die andere hellblau, also entscheide ich mich für die blaue, obwohl die rosafarbene sicher sauberer ist.

Ich gehe also hinein und mache die Tür zu, klappe den hellblauen Plastikdeckel runter und setze mich darauf, was einige Anstrengung kostet, weil ich so schwanke. Aus dem Toilettenfenster kann man nicht hinaussehen, das Fenster ist aus Blindglas oder so ähnlich. Außerdem ist es jetzt sowieso dunkel. Also trinke ich einen großen Schluck Wein und zünde mir eine Zigarette an und versuche, auf einen Punkt zu starren, aber meine Augen drehen sich immer wie von selbst weg und mir wird leicht übel, und ich überlege ernsthaft, ob das an dem vielen Hellblau liegt, aber daran kann es eigentlich nicht liegen.

Ich stehe also auf, klappe den Toilettendeckel wieder hoch und starre in die blankpolierte stählerne Schüssel, werfe die Zigarette hinein, weil die mir auch gar nicht schmeckt, und drücke auf den elektrischen Spülknopf, und es macht Klick und dann drei Sekunden lang gar nichts, und es gibt ein lautes Sauggeräusch wie im Flugzeug, eine kleine Klappe öffnet sich, die Zigarette wird weggesaugt, eine dunkelblaue Flüssigkeit zischt durch die Schüssel, und dann geht die Klappe wieder zu.

Ich denke daran, daß die Exkremente der Menschen nicht mehr wie früher auf den Gleisen landen und fein versprüht werden, sondern sicher in einem Behälter unterhalb der Toilette aufgefangen werden, wie im Flugzeug, und daß das eigentlich schade ist. Ich weiß aber nicht, warum ich denke, daß das schade ist, denn eigentlich ist es so, wie es jetzt ist, ja viel besser.

Irgendwo habe ich mal gelesen, daß sich irgendwelche Menschen bei Kassel immer beschwert haben, wenn der Zug über eine hohe Eisenbahnbrücke fuhr, also, dazu muß ich natürlich erzählen, daß die Menschen, die sich beschwert haben, genau unter dieser Eisenbahnbrücke gewohnt haben, also diesen Menschen ist, immer wenn ein Zug über sie hinwegdonnerte, die Scheiße aus den Toiletten auf ihre Häuser gefallen. Und wenn sie vor die Tür gehen oder im Garten grillen, dann fällt die Kacke ihnen direkt auf den Kopf oder auf ihre Plastikmöbel im Garten.

Ich muß grinsen, und dann fällt mir noch ein, daß es eine andere Brücke gibt, irgendwo in Belgien oder in Luxemburg, da wohnen auch irgendwelche Leute drunter, und die beschweren sich immer, weil genau diese Brükke bei Selbstmördern so beliebt ist, jedenfalls springen die immer da runter und, genau wie bei der Brücke in Kassel, fallen den Leuten auf die Häuser oder purzeln mitten ins schönste Grillfest. Die Körper sind dann immer ganz zerquetscht, die müssen sie dann mit einer Schaufel zusammenkratzen. Das habe ich jedenfalls auch mal gelesen, und ich denke daran, was wohl besser ist, Scheiße oder Körpermatsch, und wo ich wohl lieber wohnen würde, wenn ich wählen müßte, in Kassel oder in Luxemburg.

Ich muß wohl eingeschlafen sein, denn auf einmal gibt es einen Ruck, und der Zug hält an, und ich sitze auf dem Toilettendeckel, mit dem Kopf an den Arm gelehnt, an der Spüle. Ich habe einen widerlichen Geschmack im Mund, und ich suche im Jackett nach einer Zigarette und zünde sie mir an. Dann öffne ich die Toilettentür. Tatsächlich. Das muß schon Hamburg sein. Der Zug leert sich, und ich schiebe mich an den Menschen vorbei, die alle so einen komischen Reisegeruch haben, halb Schweiß und ungewaschen, halb Metall und kalter Zigarettenrauch, jedenfalls schiebe ich mich an den Menschen vorbei in den

Speisewagen, wo noch mein Gepäck steht. Ich schnappe mir meinen Koffer und steige aus dem Zug. Vor mir auf dem Bahnsteig läuft der Mösenbart. Er trägt einen prunefarbenen Mantel, der im Licht merkwürdig changiert. Der Bahnhof Altona ist schon verdammt deprimierend, und ich laufe schnell durch, zum Taxistand.

Ich habe vom Bahnhof in Westerland den Nigel angerufen und ihn gefragt, ob ich ein paar Tage bei ihm wohnen könnte. Nigel hat in Pöseldorf eine sehr schöne Wohnung, direkt neben Jil Sander oder so. Ich kenne Nigel schon ziemlich lange, weiß aber immer noch nicht, was er genau macht. Er telefoniert viel mit Anlageberatern in der Schweiz oder in Hong Kong, die er dann immer anschreit, ob sie wahnsinnig wären oder so ähnlich. Es interessiert mich auch nicht, aber eigentlich interessiert es mich doch. Ich glaube, ich bin manchmal ein ziemlich neugieriger Mensch. Jedenfalls hat Nigel gesagt, kein Problem, du bist immer willkommen, und so fahre ich also jetzt zu Nigel.

Hamburg ist eigentlich ganz in Ordnung als Stadt. Es ist weitläufig und ziemlich grün, es gibt ein paar gute Restaurants, noch mehr gute Bars, und die Hamburger Mädchen sind alle ganz hübsch, ich meine, die richtigen Hamburger Mädchen, blond und so, mit Pferdeschwanz, großem Gebiß und Segelschein. Immer wenn ich in Hamburg bin, sehe ich massenhaft solche Mädchen, die meisten in Barbourjacken, einige in engen Pullovern oder in Bodys, das sind aber meist schon nicht mehr die echten Hamburgerinnen. Außerdem ist das Licht schön in Hamburg, wenn man die Elbchaussee langfährt, im Sommer. Dann leuchtet es auf der anderen Seite der Elbe, bei Rothenburgsort oder Harburg oder wie das heißt, da, wo die Blohm &

Voß-Werft ist, und da, wo sie früher die U-Boote gebaut haben, bis die Engländer alles plattgebombt haben. In Hamburg ist alles, man kann es nicht anders sagen, Barbourgrün.

Das Taxi fährt die Milchstraße hoch, dann biegen wir ab, und schon sind wir im dicksten Pöseldorf. Wir halten vor Nigels Wohnung, und ich bezahle den Taxifahrer, der zum Glück während der Fahrt kein einziges Wort gesagt hat, weil er sauer war, daß wir beide gleich alt sind und ich ein Jackett von Davies & sons trage und er auf Demos geht.

Obgleich, wenn ich es mir überlege, hätte ich gerne mit ihm geredet und ihm gesagt, daß ich auch auf Demonstrationen gehe, nicht, weil ich glaube, damit würde man auch nur einen Furz erreichen, sondern weil ich die Atmosphäre liebe. Es gibt nämlich nichts besseres als den Moment, in dem die Polizei sich überlegt, loszuschlagen, weil wieder ein paar Flaschen geflogen sind, und dann gibt es einen Adrenalinrausch bei der Polizei und auch einen bei den Demonstranten, und dann rennt die Polizei los, eine Leuchtspurrakete fliegt über die Straße, und ein paar Flaschen fliegen hinterher, und dann stolpert ein Demonstrant, irgend so ein armes Schwein, der sich die Schnürsenkel an seinen blöden Doc Martens nicht gescheit zugebunden hat, und dann fallen ungefähr achtzig Polizisten über den her und prügeln auf ihn ein. Davon gibt es dann Fotos in der Zeitung, und dann wird wieder diskutiert, ob die Polizei zu gewalttätig ist, oder die Demonstranten oder beide und ob die Gewaltspirale eskaliert. Das ist wieder so ein unglaublicher Satz. Daran läßt sich doch alles ablesen über diese Welt, wie unfaßbar verkommen alles ist. Aber das würde der Taxifahrer nicht verstehen, weil er sonst ja auch ein Jackett von Davies & sons tragen würde, sich die Haare anständig schneiden und kämmen und seinen Regenbogen-Friedens-Nichtraucher-Ökologen-Sticker von seinem Armaturenbrett reißen würde. Also zahle ich dem Taxifahrer seinen Fahrpreis und gebe ihm noch ein dickes Trinkgeld, damit er in Zukunft weiß, wer der Feind ist.

Nigels Klingelschild ist aus ganz altem, ungeputztem Messing. Ich glaube, der macht das absichtlich, daß sein Klingelschild so angelaufen und ein bißchen schäbig ist. Ungefähr so wie mit den Barbourjacken. Ich drücke auf die Klingel, und Nigel kommt die Treppe heruntergelaufen, macht die Tür auf, grinst bis über beide Ohren und schnappt sich meinen Koffer.

Ich sehe mir den Nigel an, und wieder mal merke ich, daß er immer ein bißchen schäbig angezogen ist, nicht so direkt schäbig, ich würde ihm das ja auch nie sagen, weil er mein Freund ist, aber ich meine, so indirekt und irgendwie schlampig. Seine Pullis haben Löcher, richtige Mottenlöcher sind das schon, und seine Hemden sind nie gebügelt, wenn er denn welche trägt, denn meistens trägt er irgendwelche T-Shirts, auf denen das Logo einer Firma steht, ich meine, so richtige Firmen wie Esso oder Ariel Ultra oder Milka. Ich weiß auch nicht, warum er das macht, er hat es mir mal erklärt, da waren wir ziemlich betrunken, und da hatte er mich in eine ekelhafte Kneipe auf dem Kiez geschleppt, die hieß Cool, glaube ich, und da hat er mir erklärt, daß das die größte aller Provokationen sei, T-Shirts mit den Namen bekannter Firmen drauf zu tragen. Wen will er denn provozieren damit, habe ich ihn damals gefragt, und er hat gesagt: Linke, Nazis, Ökos,

Intellektuelle, Busfahrer, einfach alle. Ich hab das damals nicht ganz verstanden, aber ich habe es mir gemerkt.

Jedenfalls laufen wir zusammen die Treppe hoch, und ich sehe auf Nigels Nacken, der immer sauber ausrasiert ist, wie mein Nacken auch. Wir haben beide sowieso ziemlich ähnliche Frisuren, vorne lang und hinten ziemlich kurz. Also, Nigel erklärt mir irgend etwas und gestikuliert mit der freien Hand in der Luft, und ich schwöre, daß ich zuhören will, aber es gelingt mir einfach nicht, weil ich diesen Geruch in die Nase kriege, den Geruch von Bohnerwachs. Bei diesem Geruch muß ich immer an meine erste große Liebe denken.

Also: Ich bin eingeladen bei Sarah zu Hause, ich nenne sie jetzt mal einfach Sarah, jedenfalls haben mich ihre Eltern eingeladen, um mich mal besser kennenzulernen, wie Eltern das so machen. Ich war sechzehn und furchtbar aufgeregt, wollte natürlich einen guten Eindruck machen und so weiter. Sarah und ich haben uns damals schon geküßt, aber mehr war nicht, ich war ja noch Jungfrau, und sie, glaube ich, auch.

Dazu muß ich sagen, daß sie Ballett tanzte und wunderschöne, lange braune Haare hatte, und ich habe sie sehr geliebt. Auf jeden Fall habe ich mich ordentlich angezogen, Krawatte und Blazer mit Goldknöpfen drauf und so, und ich laufe das Treppenhaus hoch und habe ganz feuchte Hände, und meine Knie zittern, und dann riecht es nach diesem Bohnerwachs. Dieser Geruch bohrt sich in mein Gehirn.

Ich sitze beim Essen mit der Familie, Sarah sitzt mir gegenüber und lächelt, und das Beste dabei ist: ihre Eltern mögen mich. Die Mutter häuft mir immer mehr Fisch auf und Petersilienkartoffeln, und der Vater grinst mich immer so an und schenkt mir tatsächlich Weißwein nach, schon drei Gläser habe ich getrunken, und alles läuft bestens, außer, daß ich langsam betrunken werde und mir etwas übel von dem Wein wird. Das Essen ist dann zu Ende, und es ist schon ziemlich spät, und dann sagt der Vater, er siezt mich: Junger Mann, warum bleiben Sie heute nacht nicht hier bei uns im Haus, gucken Sie mal, meine Frau richtet Ihnen das Gästezimmer her, dann haben Sie nicht so spät noch den langen Heimweg.

Ich sage natürlich erst nein, vielen Dank, dann bitten sie mich aber nochmal, also sage ich schließlich ja. Ich bin, wie gesagt, immer noch furchtbar aufgeregt, aber inzwischen auch furchtbar betrunken. Jedenfalls lege ich mich schlafen, in das Gästezimmer, bekomme vorher noch einen Kuß von Sarah, und ich weiß heute noch, wie der Kuß schmeckte, nämlich nach Wein und nach Honig.

Mitten in der Nacht wache ich auf, und es riecht so komisch im Zimmer, und ich schlage die Augen auf und fühle im Dunkeln so um mich herum, und alles ist naß, und ich denke: Um Gottes willen. Feuchten Traum gehabt. Bitte, bitte, bitte nicht jetzt und nicht hier. Ich mache also das Licht am Nachttisch an, Knips macht das, und ich gucke an mir herunter und sehe, daß ich ins Bett gekotzt habe, aber das ist nicht alles, nein, ich habe auch noch ins Bett geschissen. In diesem Moment wird alles dunkel. Ich habe nicht lange überlegt, ich konnte auch gar nicht überlegen. Ich habe mich angezogen und bin rausgerannt, aus der Wohnung, das Treppenhaus runter, wo es immer noch nach Bohnerwachs roch, und auf der Straße habe ich dann geheult vor Scham, aber stehengeblieben bin ich nicht, nein, weitergerannt bin ich, bis ich nach Hause kam. Und die Sarah habe ich nie wieder gesehen.

Nigel schließt jedenfalls, während mir das alles so durch den Kopf schießt und ich rot werde, wie jedesmal, wenn ich darüber nachdenke, seine Wohnung auf und geht vor und stellt meinen Koffer in den Flur, und ich bin ganz außer Atem, also setze ich mich erst mal auf den Koffer und zünde mir eine Zigarette an.

Die Wohnung beeindruckt mich jedesmal wieder, wenn ich sie sehe. Überall hängen Fotokopien an den Wänden, und alte Stiche und Landkarten. Die Wohnung ist ja eigentlich sehr fein und sicher auch teuer, andererseits sieht sie völlig heruntergekommen aus. Der Putz blättert von den gelb gestrichenen Wänden, und dann steht unter so einer Stelle, wo es wirklich ziemlich asig aussieht, ein wahnsinnig teurer Biedermeier-Sekretär, auf dem sich Papiere häufen, noch mehr Fotokopien, alte, vergilbte Fotos von wildfremden Menschen und Milliarden von Büchern.

Die ganze Wohnung sieht aus, ich will das mal so sagen, als ob hier ein alter Lehrer wohnen würde, so einer mit Lederaufsätzen am Ellenbogen seines aufgescheuerten Cordsakkos, einer, der sich immer Tee macht, die Tasse irgendwohin stellt und dann vergißt, den Tee auszutrinken, und sich dann noch einen macht. Er hat weiße Haare in den Ohren, und eigentlich finden ihn alle in der Schule lächerlich, aber sie müssen ihn behalten, weil er Altgriechisch und Hebräisch unterrichtet, und sich jedes Jahr zwei oder drei Schüler dafür interessieren. So jedenfalls sieht es bei Nigel aus.

Nigel und ich plaudern ein bißchen, und ich erzähle ihm, wie es auf Sylt war, nämlich beschissen und ganz schön ernüchternd, und wir rauchen Zigaretten und lachen und liegen auf dem Fußboden, weil Nigel keine Couch hat.

Er kann gut zuhören, und er schaut einen dann ganz genau an, wenn er zuhört, meine ich, und man hat das Gefühl, als ob das, was man sagt, ihn wirklich und ernsthaft interessiert. Nicht viele Menschen können einem dieses Gefühl geben. Oft erzählt oder erklärt er irgendwas, und ich oder jemand anderes versteht es dann nicht, weil Nigel manchmal etwas abstruse Theorien hat, aber anstatt sich dann darüber lustig zu machen, daß man es nicht versteht, erklärt er es nochmal, ganz ruhig, so als ob er nur Geduld haben müßte, dann würden ihn die Menschen schon verstehen. Ich glaube, Nigel ist der am wenigsten eingebildete Mensch, den ich kenne, obwohl er ja Grund genug hätte, sich was einzubilden.

Während ich mir die mindestens zweitausendste Zigarette heute anzünde, erzählt Nigel von dieser Party, zu der er mich mitschleppen will. Er nimmt mich immer zu den unmöglichsten Sachen mit, wenn wir uns sehen, meistens in ziemlich schmutzige Bars, obwohl ich lieber in sauberen Bars abhänge oder in Discos, wo man genau weiß, daß einem da keine Kellerasseln ins Bierglas laufen. Ich würde auch sonst nicht in solche Läden gehen, wenn ich Nigel nicht so schätzen würde.

Nigel will auf diese Party gehen, und ich soll mitkommen, und er wühlt in seinem Kleiderschrank nach einem Rollkragenpullover, während er irgend etwas erzählt und ich eine Zigarette rauche, auf dem Rücken auf dem Holzfußboden liegend, und den Rauch zur Decke hoch puste. Schade eigentlich, daß ich keine Rauchringe machen kann, obwohl ich es schon seit Jahren probiere.

Nigel scheint seinen Pulli gefunden zu haben, so einen Fair-Isle-Pullover in beiger Wolle mit Kabelmuster, und er zieht ihn sich über den Kopf, über sein Hanuta-T-Shirt, dabei fällt mir ein, daß ich gerade erst neulich gemerkt habe, warum Hanuta Hanuta heißt. Das ist nämlich so: In Deutschland gibt es eine Art Abkürzungswahn, der von den Nazis erfunden worden ist. Gestapo und Schupo und Kripo, das ist ja klar, was das heißt. Aber es gab auch zum Beispiel die Hafraba, und das wissen, glaube ich, nur wenige, das heißt Hamburg-Frankfurt-Basel, und das war die Abkürzung für die Hitler-Autobahn. Ja, und Hanuta heißt natürlich, das glaubt man gar nicht: Haselnußtafel.

Jedenfalls sehe ich mal wieder, während Nigel sich den Pulli über den Kopf zieht und ich an die Haselnußtafeln denken muß, daß Nigels Pulli unten am Rand oder am Saum, oder wie das heißt, zwei fette Mottenlöcher hat, und deswegen muß ich grinsen, aber das sieht er zum Glück nicht. Ich glaube, dem Nigel ist das wirklich völlig egal, ob er Löcher hat in der Kleidung oder nicht, meine ich. Er hat ja auch keinen Sinn für klassische Kleidung.

Einmal, letztes Jahr, das hat jetzt nichts mit klassischer Kleidung zu tun, passierte dies: Ich war zu Besuch, und da wollte er einen Kaffee machen für uns beide, und weil er keine Kaffeefilter im Haus hatte, hat er eine alte Socke genommen, den Kaffee hineingeschüttet und dann das heiße Wasser drübergegossen. Ich habe das erst später erfahren, als ich die kalte, nasse Socke mit dem Kaffeesatz in der Spüle gefunden habe, sonst hätte ich den Kaffee ganz bestimmt nicht getrunken.

Jedenfalls mache ich mich ausgehfertig. Ich ziehe das Jackett aus, weil ich im Koffer noch eines hab, das ich lieber abends trage. Es ist so ein englisches Tweedjackett in Dunkelbraun, mit so Fischgrätmuster drauf, ich hab das mal in Schottland gekauft, von der Stange natürlich, weil ich nur ein paar Tage in Schottland war, aber inzwischen mag ich dieses Jackett fast am liebsten von allen.

Während ich mich zurechtmache, erzählt Nigel schon wieder von dieser blöden Party, und ich denke daran, daß mir Partys eigentlich nicht so wichtig sind, obwohl sie für Nigel das wichtigste der Welt sind, glaube ich. Das ist mir nicht ganz verständlich, denn, na ja, vielleicht sollte man das nicht so ausdrücken, wenn man ihn beschreibt, aber ich sage das jetzt mal trotzdem: Vielleicht mag der Nigel Partys so gerne, weil er im Grunde ein asozialer Mensch ist, Gott, das würde ich ihm nie sagen, aber irgendwie ist er nicht kommunikationsfähig, ich meine, vielleicht mag er Partys, weil das so rechtsfreie Räume sind, wo er funktionieren kann, ohne kommunizieren zu müssen.

Nigel würde nie in Discos gehen, obwohl es da ja auch noch extreme Unterschiede gibt, zum Beispiel zwischen Techno-Discos oder Acid-Jazz-Discos, wie sie immer im Prinz gelobt werden, oder Discos, wo ich lieber hingehe, weil da so ältere Sachen laufen, *Car Wash,* etwa, oder *Funkytown,* von Lipps Inc., oder *Le Freak* von Chic, eben wie im Traxx. Obwohl die ja dort auch nur noch Techno spielen.

Nigel telefoniert mit der Taxifirma, und nach einigen Minuten kommt ein Taxi. Es hält vor der Haustür und ich sehe dabei aus dem offenen Fenster, und dabei passiert dies: Der Taxifahrer steigt aus, er ist etwas älter und trägt so einen dunkelblauen Trainingsanzug mit hellblauen Streifen, dazu Mephisto-Schuhe und weiße Socken, und vorne auf seinem Anzug steht Master Experience oder Terminator X, oder sowas.

Jedenfalls läuft er zum Klingelschild und stellt sich davor, um nach Nigels Namen zu suchen, und furzt dabei.

Er furzt so laut, daß ich es bis oben in den dritten Stock hören kann. Eigentlich ist das schon kein Furzen mehr, sondern ein dumpfes Krachen, und ich sehe aus dem Fenster, und in diesem Moment sieht der Taxifahrer hoch, und ich muß grinsen, und Nigel, der im Flur steht, denkt, ich grinse über ihn, und überlegen wie er manchmal ist, grinst er auch.

Dann sitzen wir im Taxi, und der Taxifahrer und Nigel und ich rauchen Zigaretten, und zwar die kratzigen Overstolz des Taxifahrers, der uns welche angeboten hat, weil es ihm so furchtbar peinlich war, das mit dem Furzen. Und jetzt gibt es so eine Art Unterschichts-Verbrüderung, obwohl der Taxifahrer genau weiß, daß wir niemals im Leben Overstolz rauchen würden. Er redet unaufhörlich über das Hamburger Wetter, über den Abstieg des HSV und über die Hafenstraße und daß man das Gesocks da wegsprengen müßte, er redet bloß, damit wir nicht mehr an sein Gefurze denken. Der Fahrer ist natürlich ein ziemlicher Faschist, aber irgendwie ist das ganz lässig, so durch die Nacht zu fahren und eklige Zigaretten zu rauchen, und vorne fährt so ein armes dummes Nazischwein in einem Trainingsanzug und redet und redet, als gäbe es gar kein Zurück.

Das Taxi hält, und auf der Uhr steht 12 Mark, und ich bezahle dem Fahrer sein Geld. Wir steigen aus, laufen über die Straße, dann fängt es an zu regnen, und Nigel klingelt an einer Tür. Wir sehen uns an, dabei muß ich ganz kurz, wirklich nur Bruchteile einer Sekunde lang daran denken, warum Nigel und ich uns eigentlich mögen, und daß ich eigentlich gar nicht weiß warum, und dann geht schon der Summer, und Nigel stößt die Haustür auf.

Wir laufen die Treppen hoch, da höre ich auch schon diesen typischen dumpfen Partylärm hinter einer Tür im ersten Stock, diese Tür geht auf, und wir schieben uns hinein, vorbei an drei ziemlich hübschen Mädchen, die so schwarze Strumpfhosen tragen und darüber abgeschnittene Jeans-Shorts und billige Bustiers. Während wir vorbeigehen, Richtung Küche, sehe ich aus dem Augenwinkel, wie eins der Mädchen die Augen nach oben verdreht, und obwohl mir sowas normalerweise nichts ausmacht, bin ich doch etwas gekränkt. Ich muß an Alexander denken, das ist ein anderer Freund von mir, der wohnt in Frankfurt, und daß den eigentlich gar nichts kränkt.

Nigel jedenfalls steuert direkt auf einen dicken Mann zu, der einen schwarzen Anzug und ein schwarzes Hemd trägt, und ich stehe ziemlich dumm daneben, weil die beiden sofort anfangen, über irgendwelche Filme zu reden, und der Nigel gestikuliert beim Sprechen immer in der Luft herum, das ist so eine Marotte von ihm, und der dicke Mann nickt von Zeit zu Zeit und trinkt dann etwas Kirschsaft aus seinem Glas, aber nur ganz kleine Schlückchen, und sagt so Sachen wie: Aber Sam Peckinpah sah das anders, oder: Das erinnert mich immer an Rio Bravo.

Das geht ja noch, weil die über Filme reden, die ich auch mal gesehen hab, aber dann reden die beiden von so Menschen wie Gilles Deleuze und Christian Metz, das sind, glaube ich, Filmkritiker, und ich verstehe gar nichts mehr, obwohl ich mir natürlich diese Namen merke, wie ich mir ja alles merke.

Wie gesagt, ich kann dem Gespräch nicht mehr folgen, und Nigel macht auch keine Anstalten mich vorzustellen, also laufe ich in die Küche, und da steht tatsächlich Anne, die gestern noch auf Sylt war, und sie redet mit Jürgen

Fischer, der ist Chefredakteur von Tempo oder Wiener oder sowas. Ich hab gehört, daß er Gelbsucht hat und jetzt acht Jahre oder so keinen Alkohol mehr trinken darf, und tatsächlich trinkt er nur Mineralwasser. Auf jeden Fall ist der immer verdammt gut angezogen. Ich kenne ihn nicht persönlich, nur so vom Sehen, aber die beiden erkennen mich nicht, oder sie wollen mich nicht erkennen, obwohl ich ja direkt vor ihnen stehe. Weil mir das peinlich ist, schenke ich mir ein Glas Prosecco ein und tue so, als ob ich mich für die Flasche interessieren würde, lese das Etikett, obwohl ja der Prosecco wirklich uninteressant ist und auch billig. Dann zünde ich mir eine Zigarette an und denke daran, daß ich Partys hasse, auf denen es Prosecco gibt, weil Prosecco weder Wein ist noch Champagner, sondern nur so ein blödes Zwischending, das eigentlich gar keine Existenzberechtigung hat.

Anne redet auf diesen Fischer ein, und ich sehe genau, daß sie mit ihm flirtet, und das ekelt mich an, nicht weil der Typ schlecht aussieht, sondern weil ich eifersüchtig bin. Na ja, eifersüchtig ist nicht ganz richtig, eher bin ich gekränkt. Also kippe ich das Glas herunter und schenke mir ein zweites ein, klemme die Zigarette zwischen die Lippen, schnappe mir die Prosecco-Flasche und laufe aus der Küche. Wenn die beiden mich gesehen haben sollten, lassen sie es sich jedenfalls nicht anmerken. Ich gehe ins Wohnzimmer, wo gerade die Pet Shop Boys laufen und ein Mädchen in der Mitte so einen sexy Tanz aufführt, richtig mit Hüftenwiegen und so. Ich sehe mir das eine Weile an, obwohl ich die Pet Shop Boys nicht so richtig mag, trinke dabei noch ein Glas Prosecco und rauche eine Zigarette.

In der Ecke auf einem Stuhl sitzt ein schwarzes Model.

Sie raucht auch eine Zigarette und verdreht immer die Augen, so daß nur das Weiße zu sehen ist, also nicht aus Genervtheit, sondern permanent. Außerdem klappert sie mit den Zähnen, und das sieht ziemlich seltsam aus. Plötzlich dämmert es mir, daß auf dieser Party ziemlich viele Leute ganz offenbar höllisch breit sind. Die Frau mit dem sexy Tanz, die sich immer noch hin und her wiegt, die ist auch breit, und ich frage mich, ob die das gar nicht merkt, daß sie so seltsam versunken und wunderschön tanzt, und woher das wohl kommt, ob diese Art sich zu bewegen, schon in ihr drinnen ist oder ob das durch Drogen kommt.

Das schwarze Model steht jetzt auf und segelt durch den Raum, und ich beschließe, ihr mal nachzugehen, weil ich selten, na ja, eigentlich noch nie auf so einer Party war, und weil mich das schon irgendwie interessiert, was das Model jetzt machen wird. Na ja, sie geht in den Flur und bewegt dabei die Arme so komisch, und ich laufe ihr hinterher, und tatsächlich geht sie auf Nigel zu, der jetzt mit so einem Ziegenbart-Acid-Jazz-Hörer redet, der eine Baseballkappe von Stüssy verkehrt herum aufhat, und der gibt Nigel so ein durchsichtiges Tütchen in die Hand, und da drinnen sind Pillen.

Das Model faßt beide, Nigel und den Ziegenbart um die Schultern, die kann das, weil sie ja viel größer ist als die beiden, sonst wäre sie ja auch kein Model, jedenfalls streichelt sie denen so über den Rücken, allen beiden gleichzeitig. Nigel nimmt eine Pille aus dem Tütchen und legt sie ihr in den Mund, und der blöde Ziegenbart, der übrigens ziemlich häßlich ist, fängt an zu kichern, so ein tuntiges, völlig unkontrolliertes Kichern, das wahnsinnig unecht klingt.

Die drei halten sich im Arm, und da sieht Nigel mich und winkt mir zu, und ich gehe hin. Nigel nimmt meine Hand. Das kommt mir irgendwie komisch vor, so als ob er dazu kein Recht hätte, außerdem ist seine Handfläche völlig naß. Ich trinke schnell ein Glas Prosecco aus, in einem Zug, da fängt das Model an, mir über den Nacken zu streicheln und sagt so Sachen wie: Oh, this boy is sooo cute, und: Oh, feel how soft his hair is. Mir ist das irgendwie sehr unangenehm, weil mir das Model jetzt, wie sie das sagt, durch die Haare fährt, und ich meine, sie sieht schon verdammt gut aus, ich meine richtig 1A, aber das Ganze ist so unwirklich und irgendwie auch nicht echt und deswegen peinlich, weil einerseits macht mir das Spaß, wie sie mir durch die Haare fährt, und andererseits ist das nur wie gespielt. Ich weiß nicht, ob ich das richtig erklärt habe.

Trotzdem, langsam werde ich richtig betrunken, und als Nigel aus seinem Tütchen eine Pille nimmt und sie mir in die Hand drückt, denke ich: Na ja, ich kann das ja mal versuchen. Ich weiß auch nicht, warum ich das mache, denn im Grunde finde ich Drogen absolut widerlich, aber ich stecke mir das Ding in den Mund, sieht ja auch aus wie eine Spalt-Tablette, und spüle es mit einem großen Schluck Prosecco aus der Flasche runter, obwohl das sonst so gar nicht meine Art ist, aus der Flasche zu trinken, meine ich. Die Pille schmeckt extrem bitter und, wenn ich mich nicht irre, ein bißchen nach Lakritz.

Ich trinke noch einen Schluck, und Nigel und die anderen beiden klatschen in die Hände und zwinkern mir zu, kein Flirtzwinkern, das man abends in einer Bar fast gar nicht sieht, sondern so ein offensives, eigentlich ziemlich dummes Zwinkern. Warum tun alle bloß so schwul, das verstehe ich nicht. Ich bemühe mich zurückzulächeln, obwohl ich das Getue ziemlich affig finde. Außerdem denke ich, daß ich schon irgend etwas von der Pille merke, obwohl ich ja gar nicht weiß, was genau ich da merken soll. Ich fühle mich etwas schummrig und frage Nigel, ob das dazugehört, und der nimmt schon wieder meine Hand, obgleich ich das nicht will, und lacht und sieht mir in die Augen, so ganz eindringlich, als ob er mir jetzt etwas ganz Wichtiges mitteilen will, und sagt mir, ich solle mir mal keine Sorgen machen, so schnell würde das nicht wirken, und wenn das dann anfängt, die Wirkung, dann solle ich ihn suchen kommen. Dabei muß ich erzählen, daß Nigels Augen unheimlich dunkel sind, während er mir das sagt, und auf einmal merke ich, daß das gar nicht seine Augen sind, sondern seine Pupillen. Die sind nämlich, und ich kriege einen Schreck, wie ich das sehe, so groß, die Pupillen meine ich jetzt, daß keinerlei Farbe in seinen Augen mehr zu sehen ist. Die sind weiß und dann kommt schon die schwarze Pupille, und das sieht irgendwie verdammt seltsam aus.

Die Flasche Prosecco ist leer, ich habe sie fast alleine ausgetrunken, bis auf ein halbes Glas, das ich vorhin verschüttet habe. Ich merke, daß ich betrunkener bin, als ich dachte, brauche aber noch mehr, weil ich den Grad erreichen will, der kurz vor dem Vollrausch eintritt, noch nicht der Moment, wo der Boden schwankt und die Augen schmerzen, aber den Augenblick kurz davor. Also gehe ich in die Küche und hole mir noch eine Flasche aus dem Kühlschrank. Der Fischer und die Anne sind weg, dafür ist die Küche jetzt voller geworden, eigentlich das vollste Zimmer auf der ganzen Party, und ich muß an den alten

Jona Lewie-Hit denken, den ich früher in Salem jeden Tag mindestens eine Million mal gehört hab: *You'll always find me in the Kitchen at Parties.* Dann muß ich grinsen, weil das Lied mir so unheimlich zutreffend erscheint, so richtig perfekt, für diesen Augenblick in dieser blöden Neon-Küche.

Ich mache die Flasche auf, muß immer noch grinsen wie ein Irrer, dabei fallen mir die Haare in die Stirn, weil ich mich leicht nach vorne beuge und an dem blöden Korken rumfummele, damit er nicht knallt beim Rauskommen, also schiebe ich mir die Haare weg und dabei merke ich, daß sich meine Haare ganz komisch anfühlen, sehr, sehr angenehm, so als wolle man nichts anderes machen als seine eigenen Haare anfühlen, ich meine, wie idiotisch ist denn das bitte, und wie sieht denn das aus: Da steht einer, der grinst wie verrückt und fummelt sich selbst liebevoll in den Haaren herum. Damit aber noch nicht genug: Plötzlich werden meine Füße ganz warm und kribbelig, und meine Knie knicken so weg, nicht, weil ich betrunken bin, sondern irgendwie anders. Auch ist das Betrunkenheitsgefühl jetzt völlig weg, ich meine, plötzlich denke ich völlig klar und nicht so dumpf betrunkene Gedanken, sondern, ich kann das nicht anders beschreiben: klar und warm und wässrig.

Mir ist das auch egal, ob jemand mich beobachtet. Ich lasse die Flasche Prosecco stehen und gehe aus der Küche, denke kurz daran, daß ich gerne eine Zigarette rauchen würde, aber das erscheint mir im nächsten Augenblick viel zu anstrengend. Ich fühle mich so komisch, und dann fällt mir ein, daß das jetzt wohl die Pille von Nigel ist, die das auslöst, das beunruhigt mich aber nicht, weil das ganze, wie gesagt, überhaupt nicht unangenehm ist.

Im Zimmer, in dem vorhin das Mädchen zu den Pet Shop Boys getanzt hat, spielt jetzt eine Melodie, die ich irgendwoher kenne. Ich gehe hinein und stelle mich vor einen Lautsprecher, und versuche mich zu erinnern, was das für ein Lied ist. Irgend etwas aus dem Fernsehen, denke ich. Ich komme da gleich drauf, ist aber auch nicht schlimm, wenn es mir nicht einfällt, weil die Musik einfach nur schön ist und für sich selbst existiert, wie ein Bach oder ein Bergfluß. Und während ich so einen unglaublichen Unsinn denke, nein, eher so einen Unsinn fühle, da fällt es mir ein, was das ist, meine ich. Das ist die Titelmusik aus Twin Peaks, dieser Fernsehserie, die mal auf RTL lief.

Und wie ich da so vor der Box stehe und wirklich sehr seltsam aussehen muß, die eine Hand an meinem Nacken entlangstreichend, den Kopf leicht schräg, andächtig dieser Fernsehmelodie lauschend, obwohl die Musik ja wirklich das Schönste ist, was ich je gehört habe, da spricht mich ein Mädchen an und sagt, ich erfinde nichts, das sagt sie jetzt wirklich: Angelo Badalamenti ist gar nicht mal so dementi.

Das haut mich um. So ein brillanter Satz. Ich drehe mich um, schwanke und starre das Mädchen an. Sie ist ziemlich klein und schlank und trägt ein hübsches Kostüm, und sie hat ihre schwarzen Haare hinten am Kopf hochgesteckt und eine Strähne fällt ihr in die Stirn. Ich lächele sie an, und sie lächelt zurück, und ihre Augen sind sehr dunkel. Dazu muß ich noch sagen, daß Angelo Badalamenti natürlich der Komponist dieser Fernsehmelodie ist. Jedenfalls sehen wir uns an, und plötzlich merke ich, daß dieses Mädchen, das ich ganz zufällig auf dieser blöden Party treffe, alles verstanden hat, was es zu verstehen gibt.

Das ist mir in dem Moment klar. Da gibt es überhaupt keinen Zweifel. Ich weiß auch nicht, woher diese Erkenntnis kommt. Ich nehme die Hand des Mädchens in meine Hand. Unsere Hände sind innen ganz feucht, und wir stehen einfach da und starren uns in die Augen, während um uns herum die Musik aus Twin Peaks so wellenförmig summt, also ich meine, die Melodie klingt tatsächlich wie eine Brandung am Strand, das habe ich ja vorhin schon gemerkt, daß sich alles anhört und anfühlt wie Wasser.

Dann geht das Lied zu Ende, und das Mädchen läßt meine Hand los und sagt, sie müsse dringend zur Toilette. Sie läuft hin, und ich gehe ihr nach, obwohl ich ja sowas nie sonst tun würde, und sie geht hinein und schließt die Tür nicht ab, also denke ich, das ist sicher ein Zeichen, daß ich mit hineinkommen soll. Also gehe ich hinein.

Das Badezimmer ist ziemlich groß und rosa angestrichen, und über dem Waschbecken hängt ein riesiger Spiegel. Ein paar Kerzen brennen, und das Ganze hat so etwas Höhlenartiges, etwas Sicheres, es erscheint mir so, als ob es der beste Ort auf der ganzen Party wäre. Das Mädchen sitzt zusammengekauert am Rand der Badewanne und klappert mit den Zähnen, und das beunruhigt mich etwas, aber ich sage nichts, sondern mache die Tür hinter mir zu und gehe zum Spiegel und sehe hinein und tatsächlich: Meine Pupillen sind ebenfalls riesengroß. Das ist seltsam, denke ich, aber eben nicht unangenehm, nur das Zähneklappern stört mich irgendwie. Ich setze mich zu dem Mädchen an den Badewannenrand, und sie fängt an, sich mit den Händen an den Schenkeln zu reiben, immer hin und her. Das sieht irgendwie gut aus, und ich merke, wie mir zwischen den Beinen ganz warm wird, und das fühlt sich ganz komisch an, weil ich so ein intensives körperliches Gefühl noch nie hatte. Ich lächele das Mädchen an, und sie lächelt zurück, und dann hört sie auf zu reiben und stützt ihre eine Hand auf den Badewannenrand, und mit der anderen Hand verkrallt sie sich im Ärmel meines Tweedsakkos, und dann dreht sie sich weg und übergibt sich in die Badewanne.

Nicht so ein normales Übergeben, sondern ein richtiger Schwall, wie in Der Exorzist, nur eben nicht grün, sondern rot. Die Kotze klatscht in die Badewanne, und man kann richtig sehen, was sie alles getrunken haben muß, nämlich Unmengen von Rotwein, und dazwischen sind noch ein paar Klümpchen irgendwelcher unverdauter Speisen, sieht aus wie Karotten und ein wenig Mais. Ich wußte gar nicht, daß Menschen auf einen Haufen so viel kotzen können, ich meine, rein mengenmäßig.

Mir wird auch schlecht, außerdem merke ich, wie ich mich langsam immer beschissener fühle, so richtig körperlich ausgelaugt. Ich stehe auf und schwanke aus dem Badezimmer. Ich habe plötzlich keine Lust mehr, irgend etwas mit dem Mädchen anzufangen oder mit ihr zu reden oder ihr irgendwie zu helfen. Ich zünde mir im Flur eine Zigarette an und merke, wie meine Hand dabei zittert. Außerdem ist meine Stirn schweißnaß. Nigel ist nirgendwo zu sehen. Überhaupt ist die ganze Party leer geworden, und überall liegen irgendwelche Leute in den Ecken herum und starren in die Luft und rauchen Zigaretten und sehen dabei extrem fertig aus.

Ich suche Nigel noch ein paar Minuten, finde ihn aber nicht, und irgendwie ärgere ich mich darüber, daß er gegangen ist, ohne mir Bescheid zu sagen. Ich gehe zur Tür und hinaus in den Hausflur, die Treppen hinunter und dann hinaus ins Freie. Draußen ist es schon hell. Das kann ich gar nicht glauben, wo die Zeit geblieben ist, meine ich. Auf der Straße liegen Fetzen von Klopapier und eine angebrochene Schachtel Marlboro. Ich halte ein Taxi an. Der Fahrer sieht ziemlich alt aus, so, als würde er jeden Moment sterben. Ich setze mich hinten hinein, ziehe die Mercedestür hinter mir zu, sage dem Fahrer Nigels Adresse und zünde mir eine Zigarette an.

Das Taxi fährt los, und ich beobachte, wie der Rauch sich aus dem Fenster schlängelt, das ich einen Spalt weit geöffnet habe. Hamburg wacht auf, denke ich, und dann muß ich plötzlich an die Bombennächte im Zweiten Weltkrieg denken und an den Hamburger Feuersturm und wie das wohl war, als alles ausgelöscht wurde, und ich würde gerne mit dem Taxifahrer darüber reden, aber er hat Mundgeruch, und außerdem riecht er alt und verwest, so wie ein Buch, das zu lange im Regen auf dem Balkon lag und jetzt schimmelt. Das rieche ich bis hinten, durch den Zigarettenrauch hindurch.

DREI

Nigel ist natürlich zu Hause. Das merke ich daran, daß die Tür nicht abgeschlossen ist, denn vorhin, als wir zur Party gingen, hat Nigel den Schlüssel zweimal umgedreht, das habe ich mir gemerkt. Und jetzt geht die Tür sofort auf, mit dem Ersatzschlüssel, den Nigel mir vor Jahren mal gegeben hat. Damals hat er gesagt: Du weißt, du bist immer willkommen. Und hier hast du den Schlüssel zu meiner Wohnung. Das hat mich sehr gerührt, damals.

Also, ich schließe die Tür auf, und im Flur liegen mehrere Kleidungsstücke, ich kann das genau erkennen, weil es ja draußen schon hell ist und dieses komische fahle Tageslicht durch die Fenster der Wohnung hereinleuchtet und alles in so ein mattes, käsiges Licht taucht. Auf dem Boden liegen Nigels beiger Fair-Isle-Pullover und ein paar alte Budapester, die an der Seite schon ganz rissig sind. Die hat Nigel tatsächlich mal in Budapest gekauft. In der Ecke des Flurs liegt so ein zusammengeknülltes schwarzes Etwas, so leicht durchsichtig und changierend, das kann nur ein Kleid sein.

Die Tür zu Nigels Schlafzimmer ist zu, und ich horche an der Tür, um zu hören, wer da noch mit drinnen ist, weil ich so ein Gefühl habe, und ich weiß, das kennt jeder, daß da noch jemand in der Wohnung ist. Vielleicht riecht es ein ganz klein wenig anders, oder die Molekülstruktur ist nicht dieselbe, auf jeden Fall merke ich so etwas immer. Aus Nigels Zimmer kommen jetzt so unterdrückte Gluckser, die man aber auch nur hören kann, wenn man ganz nahe an der Tür horcht, was ich ja im Moment auch tue.

Dann hören die Gluckser auf, und eine Frau kichert, und dann schmatzt jemand. Ich kenne Nigel, glaube ich, ziemlich gut, und ich weiß, er würde es mir überhaupt nicht nachsehen, wenn ich jetzt da so reinplatzen würde. Mich interessiert das nämlich brennend, wer da mit ihm drinnen ist, meine ich.

Ich reiße also ohne anzuklopfen die Schlafzimmertür auf und sehe, wie Nigel nackt auf dem Bett liegt, und auf seinem Gesicht sitzt dieses schwarze Model, die von der Party vorhin, natürlich ist sie auch nackt, und auf der Bettkante sitzt der Stüssy-Kappen-Jazzfreak und hält Nigels Penis in der Hand, und mit der anderen Hand reibt der Jazzfreak an den Brüsten von dem Model herum, die eingecremt sind mit Babyöl. Das schwarze Model und dieser dämliche, unfaßbar häßliche Stüssy-Kerl sehen zu mir hoch, und beide haben immer noch dieses dämliche Grinsen von der Party im Gesicht, und ich merke, daß die immer noch breit sind, also müssen die noch mehr von diesen Pillen genommen haben.

Das Ganze ist irgendwie so unglaublich, ich meine, ich bin richtig vor den Kopf geschlagen. Das kann doch gar nicht wahr sein. Nigel macht da tatsächlich mit irgendwelchen Leuten herum, und er ist so breit, daß er gar nicht merkt, daß ich zur Tür hereingekommen bin. Er grunzt nur ab und zu, und schleckt dann weiter zwischen den Beinen von diesem schwarzen Model herum. Die Frau sieht mich immer noch an und lächelt, und ich fahre mir durch die Haare und krame wie verrückt in meiner Tasche nach einer Zigarette, und dann sagt sie auch noch, das sagt sie so einfach: Hey baby, why don't you come over and join us, huh?

Nigel grunzt immer noch, und jetzt lächelt dieser Zwirbelbart, der splitternackt ist, aber trotzdem noch seine Stüssykappe verkehrt herum aufhat, und ich sehe, wie an seinen Nippeln, die ganz rot glänzen, zwei Metallringe befestigt sind, und er lächelt mich an und nickt, ohne dabei aufzuhören, an Nigels Penis herumzurubbeln. In diesem Moment sehe ich noch einiges mehr: Das löcherige Bastrouleau, das im offenen Fensterrahmen hin und her weht, das Bettlaken mit den Blutflecken drauf, die zwei benutzten Kondome auf dem Parkettfußboden, die umgeworfene Blumenvase, das linke Auge des Stüssy-Menschen, das mich fixiert, weil er etwas schielt, die Farben der Tätowierung auf seinem Oberschenkel.

Der hat tatsächlich einen Maulwurf da tätowiert, und zwar einen, der auf dem Rücken liegt, die Pfoten von sich gestreckt und anstelle von zwei Augen hat der Maulwurf so Kreuze, wie bei Tom und Jerry, wenn einer tot ist.

Ohne irgend etwas zu sagen, ziehe ich die Tür hinter mir zu und nehme mir den Koffer, krame in der Tasche meiner Barbourjacke nach Nigels Hausschlüssel und lege ihn in die Messingschale auf dem kleinen Tischchen neben dem Kleiderständer. Dann gehe ich zur Tür hinaus, hinunter auf die Straße und zünde mir eine Zigarette an. Es ist noch ziemlich früh, aber bald fahren ein paar Taxis vorbei, und das dritte hält dann auch, und ich steige ein und sage, ich möchte zum Flughafen.

Unterwegs merke ich, wie meine Hände zittern, also setze ich die Sonnenbrille auf, damit der Fahrer mir nicht im Rückspiegel in die Augen gucken kann und denkt, ich wäre ein Junkie. Auf dem Weg aus der Stadt, kurz vor dem Flughafen, fange ich an zu heulen.

Ich laufe zum Ticketschalter und ziehe meine Kreditkarte aus der Barbourjacke. Die Frau hinter dem Schalter ist ziemlich verschlafen, und sie merkt nicht, daß meine Hände immer noch zittern, und ich lege die blöde Kreditkarte auf den Schalter, und zwar so wie in der Visa-Werbung, wo die Frau die Kante der Karte mit einem Schnapp auf den Tisch schnalzt, und dann sage ich, daß ich die nächste Maschine nach Frankfurt möchte.

Dann kommt der übliche Unsinn mit Nichtraucher und Fensterplatz, und während sie in ihrem Computer nachsieht, ob da noch Plätze frei sind, halte ich mich am Schalter fest, weil ich das Gefühl habe: Ich werde umkippen, wenn ich mich jetzt nicht beherrsche.

Ich erinnere mich, daß ich immer furchtbar gerne geflogen bin, so mit sieben, weil ich dieses Gefühl der Wichtigkeit liebte, das die Reisenden umgab. Ich denke daran, wie ich früher, als wir ein Haus in Italien hatten, in der Nähe von Lucca, immer nach Florenz geflogen bin, ganz alleine, mit so einem Plastikschild um den Hals, auf dem UM stand, das hieß Unaccompanied Minor oder so ähnlich. Die Stewardessen der Alitalia haben mich immer behandelt wie einen kleinen Prinzen. Ich durfte immer ins Cockpit und dort den Steuerknüppel halten, obwohl ich schon damals wußte, daß die Piloten auf Automatik geschaltet hatten, ich das Flugzeug also nicht ganz alleine flog, wie die Piloten mir ständig versicherten. Si, Si, haben sie gesagt, du machst das wie ein großer, wie ein richtiger Pilot. Come un vero Pilota. Sie hatten weiße Zähne und weiße Mützen, auf denen vorne Alitalia auf einer silbernen Brosche draufstand, und sie hatten sehr stark behaarte, braune Arme, und durch diese schwarzen Armhaare hindurch konnte ich immer ihre goldenen Armbanduhren sehen. Richtige Pilotenuhren waren das, und die habe ich immer angestarrt, während ich mit dem Steuerknüppel hantiert habe.

Ich habe es mir vor den Piloten nie anmerken lassen, daß ich die Wahrheit wußte: Es ist nur der Autopilot. Schließlich waren sie alle sehr nett zu mir.

Die Frau von der Lufthansa gibt mir meine Bordkarte und lächelt verschlafen, und dann guckt sie etwas erstaunt, weil ich mir eine Zigarette anzünde, da ich ihr doch gesagt hatte, ich möchte im Nichtraucher sitzen. Sie zieht eine Augenbraue hoch, und in dem Moment sieht sie sehr gut aus, fast schnippisch oder spöttisch. Ich ringe mir so ein verkrampftes Lächeln ab und nehme die Bordkarte und gehe durch die Sicherheitskontrollen, ohne mich nochmal umzudrehen.

Während mir der blöde verschlafene Beamte an den Taschen herumnestelt, weil es da gefiept hat und mir dann fast in den Schritt faßt, denke ich an Nigel und versuche gleichzeitig, nicht an ihn zu denken. Ich nehme meine Sonnenbrille und die paar Münzen aus der kleinen roten Plastikwanne, die der Mensch mir hinhält, ohne zu lächeln oder irgendwas, und stecke sie mir wieder in die Taschen.

Dann laufe ich durch diesen Metalldetektor-Rahmen zum Gate, und ich habe wieder dieses Gefühl der Anonymität und des Wichtigseins, obwohl ich genau weiß, daß es nichts Schlimmeres gibt als den Morgenflug von Hamburg nach Frankfurt. Jeder Betriebsratsvorsitzende einer Kugellagerfabrik fliegt heutzutage, die kennen sich alle schon, die Betriebsräte, und sie grüßen sich am Gate mit einem nonchalanten Lächeln und zupfen dabei ihre bunten Krawatten zurecht und ihre senffarbenen Sakkos und erzählen sich dann im Flugzeug von ihrem letzten Phuket-Aufenthalt.

Jedenfalls laufe ich zu dem Rondell, diesem großen Korb mit den Ballistos und den Salamibrötchen, den die Lufthansa neben der Kaffeemaschine aufgestellt hat, weil die Stewardessen zu faul sind, während des Fluges irgend etwas aufzutischen, und hole mir vier Salamibrötchen und sechs Ballistos und zwei Joghurts von Ehrmann und stopfe sie mir in die Taschen meiner Barbourjacke. Plötzlich geht es mir besser.

Ein Betriebsratsvorsitzender, der sich gerade zaghaft ein Salamibrötchen besieht, guckt ganz kritisch, so mit zusammengezogenen Augenbrauen, als ob er das, was ich da mit der Lufthansa-Verpflegung tue, nicht gutheißen kann, und wenn ich ein Ausländer wäre und kein Jackett anhätte, wofür er einen halben Monatslohn hergeben müßte, dann hätte er auch bestimmt etwas gesagt. Und weil er so frech guckt und gar nicht aufhört damit, stopfe ich mir noch zwei Ballistos in die Tasche und noch zwei Joghurts und nehme mir auch noch acht weiße Plastiklöffel. Dann esse ich ganz schnell hintereinander zwei Joghurts auf. Während ich das tue, starre ich dem Mann ins Gesicht, bis er wegguckt, denn konfrontiert werden mag er ja auch nicht, dieses SPD-Schwein. Dann merke ich, daß ich ganz furchtbar niesen muß, und da kommt es auch schon, und ich niese wie ein Wahnsinniger auf das ganze blöde Sortiment der Lufthansa.

Der Mann ist jetzt richtig erbost, und murmelt: So eine Frechheit oder irgend etwas ähnlich Belangloses, und ich starre ihn an und sage ganz leise, aber so, daß er es hört: Halt's Maul, du SPD-Nazi.

Der Mann verschwindet ganz schnell zur Kaffeemaschine, und ich merke, daß es mir viel besser geht. Wirklich bedeutend besser. Ich laufe mit meiner prall gefüllten Barbourjacke zu einem Sitzplatz und muß die ganze Zeit grinsen, und dann setze ich mich und esse ein Ehrmann-Joghurt mit einem Plastiklöffel, und als ich fertig gegessen habe, zünde ich mir eine Zigarette an und nehme mir eine Süddeutsche, obwohl mich wirklich nichts weniger interessiert als Tageszeitungen.

Über den Rand der Zeitung beobachte ich, wie der Mann von eben mit einer Stewardeß spricht und dann immer zu mir herschaut, und jedesmal, wenn unsere Blicke sich treffen, grinse ich ihn an. Ich hoffe sehr, daß wir im Flugzeug nebeneinander sitzen werden, weil ich dann, und für solche Fälle habe ich ja noch die Joghurts, mich wie ein Irrer betrinken werde und die Joghurt und den Ballisto-Matsch aus meinem Mund dribbeln lassen werde. Ich lächle so in mich hinein, und plötzlich wird mir klar, warum der Nigel immer T-Shirts mit Firmenlogos drauf trägt und warum das so eine Provokation ist, aber dann muß ich an die ganze Sache gestern abend und heute früh denken, und Nigel erscheint mir auf einmal sehr dumm und peinlich, und ich bin froh, daß ich ihm seinen Schlüssel zurückgegeben habe, und ab jetzt werde ich nicht mehr an Nigel denken.

Jetzt rufen sie die Maschine nach Frankfurt aus, die grünen Lämpchen an der Anzeigetafel, die ich schon als Kind sehr bewundert habe, blinken auf, und ich blinke wie damals, wie jedesmal, mit den Augen im Takt mit: Links, rechts, links, rechts. Ich stehe auf, werfe die Zigarette in den Aschenbecher und gehe zum Ausgang. Leider ist der

Mann von eben nirgends mehr zu sehen, und ich gehe an der Stewardeß vorbei, die die Bordkarten abreißt, es ist die gleiche, die vorhin mit dem Mann gesprochen hat, und ich lächle sie an, und sie lächelt zurück, und dann wünscht sie mir einen guten Flug.

Dann sitze ich im Bus, der die Passagiere zum Flugzeug bringt, und ich rieche das Flugzeugbenzin und den Mundgeruch der Geschäftsmänner und das Eternity-Parfum der Geschäftsfrauen, und ich sehe mir die Hamburger Flughafengebäude an, klein und gedrungen und funktional, und ich denke an den Flughafen Tempelhof in Berlin, der wirklich wunderbar ist, weil da auf dem Flughafen das Erhabene des Fliegens unterstrichen wird und nicht ausgelöscht, wie hier in Hamburg. Der Bus hält vor dem Flugzeug, das Regensburg heißt oder Passau oder Neumünster oder wie auch immer, und ich steige aus und laufe auf die Flugzeugtreppe zu.

Dieser Moment ist fast das Beste am Fliegen, wenn man aus dem Bus steigt und der Wind den Mantel hochweht und man den Koffer fester mit der Hand umschließt, und an der Treppe steht eine Stewardeß, die ihre Uniform mit einer Hand vor der Brust zusammenhält, und die Düsen jaulen sich schon warm. Das ist so eine Art Übergang von einem Leben ins andere oder eine Mutprobe. Irgend etwas ändert sich im Leben, alles wird für einen kurzen Moment erhabener. Na ja, das denke ich jedenfalls immer, wenn ich fliege, daß es bei mir so wird, meine ich.

Ich sitze im Flugzeug, und neben mir sitzt leider nicht der Mann von vorhin, sondern eine sehr alte Frau, die einen Siegelring trägt und eine Perlenkette, ganz eng um ihren faltigen Hals. Sie trägt die Haare hinten hochgebunden, und jetzt, während das Flugzeug zur Startbahn rollt, knetet sie an ihren Händen herum. Es sind sehr schöne Hände, mit ganz vielen braunen Punkten drauf. Die Frau ist, das sage ich mal so, von Sommersprossen direkt zu Altersflecken übergegangen, und das ist sicher kein so schlechter Übergang. An ihrem schlanken Handgelenk trägt sie eine dünne, flache Cartier-Uhr, deren Armband ihr etwas zu groß ist, und sie schiebt die Armbanduhr immer wieder hoch, wenn sie herunterrutscht. Sie haßt sicher das Fliegen, denke ich. Sie hat sich immer geweigert zu fliegen, und jetzt muß sie es doch tun, weil ihr nicht mehr viel Zeit bleibt.

In Frankfurt wird sie nämlich ihren Anlageberater treffen oder ihren Rechtsanwalt, um dort die Sache mit ihrem Testament zu klären. Das hat sie bislang immer schriftlich gemacht, aber jetzt geht es nicht mehr schriftlich, weil sie mit ihrem Rechtsanwalt zusammen zu einer Bank muß, um dort persönlich ein paar Schriftstücke einzusehen. Das ist so eine Privatbank, innen ganz in Mahagoni und mit roten Samtvorhängen und mit vielen alten abgewetzten Brücken ausgelegt, damit die Angestellten keinen Lärm machen, wenn sie über den Fußboden laufen.

Die Bank gibt es schon seit 1790, und im Krieg wurde sie zerbombt, und deswegen befindet sie sich heute in einem häßlichen Neubau im Frankfurter Westend, aber von innen sieht man nicht, daß es ein Neubau ist, höchstens an den niedrigen Decken.

Und während ich so da sitze und das Gesicht der Frau von der Seite ansehe und überlege, wie die alte Frau wohl riechen mag, weil sie sicher nicht schlecht riecht, nicht wie viele alte Menschen, die keine Lust mehr haben, sich zu waschen, weil ihnen die Lust am Waschen, das sich

Saubermachen für irgend jemand und besonders für sich selbst irgendwann mal vergangen ist, da muß ich plötzlich an Isabella Rossellini denken, und wie jedesmal, wenn ich an Isabella denke, läuft mir so ein kleiner Schauer den Rücken herunter.

Isabella Rossellini ist die schönste Frau der Welt. Das klingt so platt, aber es ist doch wahr. Das ist sogar tausendprozentig wahr. Und das schönste an ihr ist die Nase. Die kann man gar nicht beschreiben, selbst wenn man wollte. Ich jedenfalls möchte mit Isabella Rossellini Kinder haben, richtige kleine Schönheiten, mit einer Schleife im Haar, egal ob sie Mädchen oder Jungen wären, und allen Kindern, die wir zusammen hätten, müßte vorne ein kleines Stückchen des Schneidezahns fehlen, genau wie bei ihrer Mutter.

Wir würden alle zusammen auf einer Insel wohnen, aber nicht auf einer Südseeinsel oder so ein Dreck, sondern auf den Äußeren Hebriden oder auf den Kerguelen, jedenfalls auf so einer Insel, wo es ständig windet und stürmt und wo man im Winter gar nicht vor die Tür gehen kann, weil es so kalt ist. Isabella und die Kinder und ich würden dann zu Hause sitzen, und wir würden alle Fischerpullover tragen und Anoraks, weil ja auch die Heizung nicht richtig funktionieren würde, und wir würden zusammen Bücher lesen, und ab und zu würden Isabella und ich uns ansehen und dann lächeln.

Und nachts würden wir beide im Bett liegen, die Kinder im Nebenzimmer, und wir würden auf ihr gleichmäßiges Atmen hören, leicht gedämpft, weil die Kinder immer einen Schnupfen haben, wegen dem Wetter, und dann würde ich mit meinen Händen Isas Beine anfassen und ihren Bauch und ihre Nase. Ich habe schon viele

Filme gesehen, da war Isabella nackt, und Nigel hat zum Beispiel immer gesagt, sie hätte einen erschreckend häßlichen Körper, aber ihr Körper ist nicht häßlich, sondern nur nicht perfekt, und sie weiß das, und deswegen liebe ich sie.

Während mir das alles wieder mal durch den Kopf geht, hebt das Flugzeug ab, und die alte Frau neben mir schließt die Augen und umklammert mit ihren schönen Händen die Armlehnen, so fest, daß ihre Venen hervortreten und ihre Knöchel ganz weiß werden. Das Nichtraucherzeichen erlischt, und ich zünde mir eine Zigarette an, obwohl ich ja im Nichtraucher sitze, aber das mache ich immer, weil es eigentlich der einzige Ort ist, wo Menschen noch auf ihr Recht pochen, im Nichtraucher im Flugzeug, meine ich. Und so hat man immer die Gelegenheit, den blöden Nichtrauchern ein kräftiges Faschist! entgegenzurufen, wenn sie einen auffordern, die Zigarette auszumachen, weil man ja schließlich im Nichtraucher sitzt.

Also, ich rauche meine Zigarette, die mir gar nicht gut schmeckt, und ich merke, daß ich eigentlich hundemüde sein müßte, weil ich ja diese Nacht noch nicht geschlafen habe, aber komischerweise fühle ich mich überhaupt nicht müde, sondern völlig wach, so als ob ich die Müdigkeit schon überwunden hätte, und ich drücke den Service-Knopf, und als die Stewardeß kommt, bestelle ich einen Kaffee und einen Bourbon, obwohl es erst acht Uhr morgens ist.

Ich denke weiter an Isabella Rossellini, eigentlich lasse ich meine Gedanken über Isabella gleiten, wenn man das so sagen kann. Ich meine, ich berühre sie nicht, ich denke auch nicht direkt an sie, sondern lasse sie am Rand meiner Gedanken auftauchen, ohne ihr näherzutreten oder mit ihr zu sprechen, ohne sie anzusehen.

Der Kaffee und der Bourbon kommt, und ich rauche eine zweite Zigarette, und komischerweise beschwert sich niemand darüber, und ich beobachte, wie die alte Frau lustlos die Bunte durchblättert und sich dann aus ihrer Tasche ein Buch holt und es bei einem Lesezeichen aufschlägt, das sie in der Mitte des Buches eingelegt hat. Es ist ein Buch von Ernst Jünger, eine ziemlich alte Ausgabe, das sehe ich sofort, obwohl ich nicht viel lese und Ernst Jünger schon gar nicht.

Nigel hat mir nämlich mal erzählt, Ernst Jünger wäre so ein Kriegsverherrlicher, und seine Prosa, das hat jetzt Nigel gesagt, würde sich so lesen wie die von Hermann Hesse. Hesse mußte ich in der Schule lesen, Unterm Rad und Demian und Peter Camenzind und so entsetzlich langweilige und schlecht geschriebene Sachen, und den habe ich damals schon nicht gemocht. Auf jeden Fall soll Ernst Jünger ein halber Nazi gewesen sein, und Nigel hat erzählt, der würde noch leben, irgendwo am Bodensee, aber wo genau, das habe ich vergessen.

Während mir so Sachen aus dem Deutschunterricht durch den Kopf gehen und ich den Kaffee und den Bourbon im Bauch habe und mir deswegen ganz warm wird und ich fast ein wenig einnicke, obwohl ich, wie gesagt, überhaupt nicht müde bin, da merke ich, wie mein Hintern ganz feucht wird, so als ob ich mir in die Hose gemacht hätte. Ich taste sie langsam ab, langsam, damit die alte Frau nichts merkt, aber die liest weiter in ihrem Ernst-Jünger-Buch, und tatsächlich, mein ganzer Hosenboden ist naß und klebrig. Ich werde rot, merke aber im selben

Moment, daß die Nässe von den Ehrmann-Joghurts kommt, die mir in der Tasche ausgelaufen sind.

Das ist mir natürlich furchtbar peinlich, und mir wird ganz schummrig, und das liegt sicher auch an dem Bourbon. Auf jeden Fall muß ich jetzt mit meiner verschmierten Hose über die alte Frau hinübersteigen, oder ich muß sie bitten, mich mal auf die Toilette gehen zu lassen, und dann wird sie aufstehen, um mir Platz zu machen und den ganzen Schweinkram sehen und denken, ich sei ein völliges Ferkel und ein Arschloch. Wenn sie das nicht jetzt schon denkt. Also bleibe ich lieber sitzen, während der Joghurt auf den Sitz läuft und alles anfängt, ziemlich stark nach Pfirsich zu riechen. Ich hab mir ja vorhin extra zwei Pfirsich-Joghurts eingesteckt, weil ich die am liebsten mag.

Ich zünde mir noch eine Zigarette an und sehe aus dem Fenster. Im Augenwinkel habe ich die alte Frau, aber sie merkt nichts, oder sie läßt sich nichts anmerken. Draußen scheint die Sonne, und unter uns zieht Deutschland vorbei. Es gibt ein paar Wolken, trotzdem blendet mich die Sicht. Alles ist so hell, und ich würde gerne meine Sonnenbrille aufsetzen, aber die ist in der Tasche der Barbourjacke zusammen mit dem Pfirsichjoghurtmatsch, und die kann ich nicht rausholen und saubermachen, wie gesagt.

Der Landeanflug beginnt, und das Flugzeug taucht so weg und fliegt eine riesengroße Schleife. Ich trinke den Bourbon aus und stecke den Plastikbecher in das kleine Netz, das am Sitz vor mir befestigt ist, wo immer dieses Lufthansa-Bordbuch drinsteckt. Das ist so ein Magazin, damit die Leute was zum Blättern haben, und auf langen Flügen können sie hinten auf den Landkarten, die es auch in diesem Magazin gibt, gucken, ob sie gerade über Regensburg oder über Offenbach fliegen. Das Heft ist nicht nur vollkommen überflüssig, sondern auch gnadenlos schlecht gemacht. Da stehen immer so Artikel über Uhrmachermeister aus Bayern drin oder über den letzten Kürschner in der Lüneburger Heide. Und das Ganze wird dann erbärmlich schlecht ins Englische übersetzt, und so stellt dann die Lufthansa der Welt Deutschland vor.

Das Flugzeug kreist weiter über Frankfurt, taucht immer mal wieder durch die Wolken, dann glitzert das Sonnenlicht plötzlich auf den Flügeln, und ich sehe aus dem Fenster und muß daran denken, daß mich Landeanflüge immer an die großartige Anfangsszene aus Triumph des Willens erinnern, wo der blöde Führer in Nürnberg oder sonstwo landet, jedenfalls kommt er so von oben herab zum Volk. Ich meine, das ist ja ganz gut gemacht, so, als ob er von Gott heruntergesandt wird nach Deutschland, um da mal aufzuräumen. Die Deutschen haben das sicher geglaubt, damals, so schlau ist das gemacht.

Den Film haben sie uns mal in der Schule gezeigt, zusammen mit Panzerkreuzer Potemkin, damit wir sehen, wie man durch Film fein manipulieren kann. Wobei die Lehrer immer gesagt haben, Eisenstein wäre ein Genie und Riefenstahl eine Verbrecherin, weil die Riefenstahl sich hat einspannen lassen von der Ideologie und der Eisenstein nicht. Das fand ich aber nicht. Später habe ich dann noch einen Film gesehen, der so anfängt, mit einem Flugzeug, meine ich, und das war Der Himmel über Berlin, und da habe ich mich immer gefragt, ob dieser schrecklich peinliche Wim Wenders sich das bei Riefenstahl abgeguckt hat, oder ob er das irgendwie ironisch meinte.

Ich habe ihn mal getroffen, in der Paris-Bar in Berlin, zusammen mit so einem komischen Maler, dessen Namen ich vergessen habe, der aber immer nackte Männer unter der Dusche malt, die sich angrabbeln, jedenfalls habe ich ihn, Wenders, gefragt, ob er den Anfang seines Films so meinte wie in Triumph des Willens, und er hat nur geglotzt aus seiner blöden roten Werber-Brille und nichts mehr gesagt und sicher gedacht, ich wäre ein kleines Arschloch, das sich wichtig machen will mit Kulturfragen an ihn. Dabei hat mich das wirklich interessiert, weil ich diese Sache ja auch von der Schule her kannte, diese Problematik, meine ich.

Ja und jetzt, wenn ich so dran denke, fällt mir ein, daß der Alexander auch dabei war, das ist ein Freund von mir aus Frankfurt, der zeitweilig mal in Berlin gewohnt hat. Mit dem habe ich mich nachher, als wir die Paris-Bar verlassen haben und auf der Straße standen, richtig gestritten, weil der meinte, daß man so Typen wie Wenders überhaupt nichts fragen sollte, nicht mal auf die eingehen sollte man, am besten völlig ignorieren, weil solche wie Wim Wenders eh nur große Arschsäcke seien.

Ich hab damals gesagt, nein, man müsse die doch was fragen dürfen, besonders weil die ja die Möglichkeit hätten, viele Menschen mit ihren Filmen zu erreichen. Da hat Alexander gesagt, ich wäre ein blöder Hippie, der glaubt, er könne Sachen verändern durch Diskussionen. Da hab ich gesagt, er solle das Maul halten, und dann haben wir uns gestritten, und dann sind wir zum Bahnhof Zoo gegangen, Junkies gucken, aber es war irgendwie nicht mehr so wie früher. Irgendwas war kaputtgegangen durch diesen Streit. Vielleicht war es gar nicht das genau, aber ich kann mich nicht mehr erinnern, warum wir uns dann nicht mehr gesehen haben. Es fällt mir aber sicher noch ein.

Alexander und ich waren in Salem zusammen auf einem Zimmer, und wir haben immer getrunken wie die Löcher, selbst zur Abiturprüfung sind wir betrunken erschienen. Der Alexander hat immer rumkrakeelt, bei jeder Gelegenheit. Der war, ich sage das mal so, damit man ihn unvoreingenommen versteht, der größte Hasser aller Zeiten. Komischerweise hat das immer sehr auf Frauen gewirkt, diese vollkommene Anti-Haltung, und Alexander hätte zu jeder Tages- und Nachtzeit mit einer Holzlatte um sich schlagen können und mit einem Schlag fünf bis sechs Mädchen erledigen können, so waren die hinter ihm her. Außerdem war er noch gut angezogen. Er ist es sicher immer noch, obwohl ich ihn jetzt aus den Augen verloren habe, wegen dem Streit damals.

Also, ich sitze da so im Flugzeug, im Landeanflug auf Frankfurt, und komme in Gedanken von Isabella Rossellini zu Leni Riefenstahl und dann eben auf Alexander, und ich merke, daß der Landeanflug wirklich verdammt lange dauert, und außerdem habe ich ja inzwischen eine völlig durchnäßte Hose von den Ehrmann-Joghurts. Ich habe so ein Gefühl, als ob ich deswegen nach Frankfurt fliege, so in die Mitte von Deutschland rein, als ob ich gar nicht anders kann. Das passiert alles so, als ob es gar nicht zu verhindern wäre, obwohl ich mich ja weiß Gott treiben lasse und nun wirklich nicht nach Frankfurt hätte fliegen müssen, sondern genausogut hätte nach Berlin fliegen können oder nach Nizza oder nach London.

Ich zünde mir noch eine Zigarette an, obwohl das Nichtraucherzeichen schon seit einiger Zeit leuchtet, und jetzt kommt wirklich jemand, um mir zu sagen, ich soll die Zigarette ausmachen. Es ist aber nur die Stewardeß, und es ist ja ihr Job, mir das zu sagen, dafür kann sie ja nichts, deswegen stecke ich sofort meine Zigarette in das kleine Metallbehältnis in meiner Armlehne und entschuldige mich und lächle die Stewardeß an, auch die alte Frau im Nebensitz bekommt ein Lächeln von mir, allerdings nur in Gedanken, weil ich mich nicht traue, sie in Wirklichkeit anzulächeln.

Die Frau macht jedenfalls gerade Notizen in einen Notizblock von Tiffany aus rotem Wildleder, und ich lehne mich leicht herüber, um zu sehen, was sie so schreibt, aber ich kann nur Zahlen erkennen, ziemlich hohe, und davor schreibt sie verschiedene Namen in Klammern: Gideon und Onkel Walter und Aaron und Gregor, und hinter Gregor schreibt sie ein kleines Fragezeichen.

In diesem Moment merkt sie, daß ich ihr zusehe, und ich drehe mich weg, und das Flugzeug setzt ziemlich heftig in Frankfurt auf, erst das eine Rad und dann das andere. Hinter mir auf den Rauchersitzen wird gemurmelt, und dann wird ziemlich heftig geklatscht, so als ironischer Kommentar, daß wir zu lange in der Warteschleife in der Luft gesessen haben. Ich denke an die Hände der Geschäftsleute und an die der Betriebsräte, wie sie aufeinanderprallen beim Klatschen, die fetten Wursthände, die ganz rosa werden vom vielen Klatschen, und ich wünsche ihnen, mitsamt ihren Swatch-Understatement-Uhren, die sie auf dem Rückflug von Pattaya im Duty-free in Bangkok gekauft haben, den Tod.

VIER

Der Frankfurter Flughafen ist so wuchtig, der erschlägt mich jedesmal wieder. Immer, wenn ich da ankomme, denke ich, der Flughafen wird so schwarze Noppen auf dem Fußboden haben, aber ich kann mich später nie daran erinnern, ob es diese Noppen wirklich gibt, oder ob ich sie mir immer nur vorstelle. Es wird einem einiges vorgegaukelt auf diesem Flughafen, so eine große Welt, die im Innersten von Mannesmann und Brown Boveri und Siemens zusammengehalten wird, weil ja überall diese hintergrundbeleuchteten Reklameschilder hängen, die die ankommenden Geschäftsleute darauf hinweisen sollen, was für ein großartiger Industriestandort Deutschland ist.

Jedenfalls laufe ich durch diese Gänge, vorbei an den Schildern, die alle in leicht schlechtem Englisch abgefaßt sind, und rauche eine Zigarette nach der anderen. Die Tasche der Barbourjacke mit den Joghurts drin tropft zum Glück noch nicht, aber ich finde es extrem unangenehm, die Jacke zu tragen, und wenn ich es mir recht überlege, dann gefällt mir die Jacke eigentlich auch nicht mehr so richtig.

Ich setze mich also auf eine der Bänke, wo um diese Uhrzeit immer die ganzen Menschen schlafen, die aus Übersee kommen, mit Handtüchern über den Augen. Neben mir schläft ein chinesischer Geschäftsmann, den Mund weit geöffnet, seinen billigen Aktenkoffer zwischen die Waden geklemmt. Aus seinem Mund kommen Schnarchgeräusche.

Ich ziehe meine Barbourjacke aus und lege sie vor mir auf den Fußboden. Dann zünde ich mir noch eine Zigarette an, und werfe das brennende Streichholz auf das blöde Innenfutter der Jacke. Weil nichts passiert, beuge ich mich hinunter, zünde noch ein Streichholz an und halte das brennende Hölzchen an die Barbourjacke. Irgendwie will das Ding nicht Feuer fangen, es riecht nur ein bißchen wie verbrannte Haare, also zünde ich das ganze Päckchen Streichhölzer an und lege es ins Innenfutter.

Dann stehe ich schnell auf und laufe zum Ausgang. Als ich mich umdrehe, sehe ich, wie der Geschäftsmann immer noch schläft, mit offenem Mund, und die Streichholzköpfe haben alle Feuer gefangen, und das Innenfutter leuchtet so gelblich-orange, und eine kleine schwarze Rauchsäule steigt aus der Jacke hoch, und in dem Moment fällt mir ein, daß ich meine Sonnenbrille in der Tasche der Barbourjacke vergessen habe. Scheiße, denke ich, aber eigentlich ist es so ja besser, weil die Sonnenbrille im Grunde häßlich und affig war.

Draußen steige ich in ein Taxi. Ich weiß nicht genau, wohin ich fahren soll, und der Taxifahrer sieht mich mit seinem halb nach hinten gedrehten Kopf so dämlich an, also sage ich schnell, ich möchte zum Hotel Frankfurter Hof, und der Taxifahrer nickt jetzt verständnisvoll, weil er ja nun weiß, daß ich ein ehrenwerter Gast seiner schönen Stadt bin und hier viel Geld ausgeben werde, was ja ihm auch irgendwie wieder zugute kommen wird, und er denkt an seinen Bausparvertrag und an seinen Traum vom S-Klasse-Mercedes-Taxi, und dann fahren wir los. Unterwegs sehe ich aus dem Fenster, und ich muß wieder mal erkennen, daß keine Stadt in Deutschland häßlicher und abstoßender ist als Frankfurt, nicht mal Salzgitter oder Herne.

Ich habe mir überlegt, in Frankfurt den Alexander zu besuchen. Wir haben uns ja, wie gesagt, etwas aus den Augen verloren, und das finde ich schade, weil Alexander immer ein feiner Kerl, ein guter Freund war, und einen klugen Kopf hatte. Während wir durch Frankfurt fahren, versuche ich, mir Alexanders Gesicht vorzustellen, aber es gelingt mir nicht so richtig.

Es ist ein längliches Gesicht mit einer großen Nase, und irgendwie sieht er mittelalterlich aus, wie auf einem Bild von Walther von der Vogelweide oder Bernard von Clairvaux. Das sind beides mittelalterliche Maler, das weiß ich. Nicht, daß ich genau wüßte, wie diese Menschen, die die gemalt haben, aussehen, aber ich stelle mir das Mittelalter immer so vor wie in dem Film *Der Name der Rose,* der ja eigentlich als Film recht dämlich war, aber der Alexander hätte in diesem Film mitspielen können, weil er einfach nicht aussieht wie aus dieser Zeit, in der wir jetzt leben, sondern eben wie aus dem Mittelalter.

Obwohl, wie ich gerade daran denke, entsteht Alexanders Bild in meinem Gehirn nur so in Einzelteilen, da fügt sich nichts zusammen, es ergibt kein Ganzes, das ich mir vorstellen könnte, nur einzelne Teile seines Gesichtes oder seine Art zu gehen oder zu sprechen.

Ein paarmal hat er mir Fotos geschickt, von irgendwelchen Urlaubsorten. Auf einem, da ist er zu sehen, wie er an Deck so einer Holzyacht steht, irgendwo in den Kykladen oder bei Juan-Les-Pins, und er hat ziemlich lange Haare, schulterlang und fettig, und er ist sehr braun auf dem Foto und hält ziemlich lässig einen riesigen Joint in der Hand, leicht angewinkelt. Als ich dieses Foto mit der

Post bekam und einen Brief in seiner üblichen krakeligen, furchtbaren Handschrift, merkte ich plötzlich, wie verdammt fremd er mir geworden war, weil er mir Dinge schrieb, die ich nicht verstanden habe. Das hat mich nicht traurig gemacht, damals, aber irgendwie hat es das doch. Ich weiß auch nicht wieso.

Auf einem anderen Foto, da steht er auf einer Brücke in Kairo mit einem FC-St.-Pauli-T-Shirt, hinter ihm ist ein Muezzin-Turm zu sehen, und sein rechter Arm ist ausgestreckt, und er deutet mit dem Zeigefinger auf etwas außerhalb des Bildes, aber er sieht dabei in die Kamera. Dann habe ich noch eins von ihm, da ist er in Afghanistan. Er trägt so ein Tuch um den Kopf geschlungen und steht vor einem Gemüselaster und grinst. Neben ihm steht ein Mudjahedin, der seine Kalaschnikow hochhält, und Alexander hat den Arm um ihn gelegt, und der Mudjahedin grinst auch, obwohl es ein bißchen so aussieht, als ob die beiden nur grinsen, weil die Sonne sie blendet.

Was ich eben meinte mit den Briefen, die ich nicht verstanden habe, muß ich noch mal erklären. Also: Der Alexander ist jahrelang nach dem Abitur nur herumgereist, in der ganzen Welt, und er hat mir zum Beispiel geschrieben, er wäre auf der Suche nach den Spuren des Liedes *You're my heart, you're my soul* von Modern Talking, das ja nun wirklich ein sehr, sehr schlechtes Lied ist, aber er wäre jedenfalls unterwegs, um zu sehen, wie weit *You're my heart, you're my soul* verbreitet ist, nicht in Orten wie Fuerteventura und so, das weiß man ja eh, daß da sowas gerne gehört wird, sondern eben in Pakistan und in Bangladesch und in Kambodscha. Alexanders Eltern sind früh gestorben, beide bei einem Autounfall, und so hat er ziemlich viel Geld geerbt, und anstatt es anzulegen oder sich sieben Porsches zu kaufen oder Gott weiß was, gibt er eben das Geld seiner Eltern dafür aus, durch die Welt zu reisen und sehr seltsamen Theorien nachzugehen über die Verbreitung der Popmusik.

Einmal, und deswegen komme ich überhaupt darauf, da hat er mir einen längeren Brief geschrieben, aus Indien. Er war, so steht es in dem Brief, kurz hinter der pakistanisch-indischen Grenze in ein kleines Wüstendorf gestolpert, hatte sich dort in diesem Dorf, dessen Name mir nicht mehr einfällt, in eine Bar gesetzt, um ein Bier zu trinken oder irgendwelchen Wüstenschnaps, der aus Kakteen gebrannt wird, da es ja in Pakistan keinen Alkohol gibt.

Also, er sitzt da in der Bar, und irgendein Inder plänkelt in der Ecke auf einer Wandergitarre herum, die ihm, dem Inder, so ein durchreisender Hippie verkauft hat für einen Batzen Heroin, und plötzlich streckt der Inder dem Alexander die Gitarre hin und fragt ihn, ob er nicht was vorspielen kann. Das Interessante daran ist, daß Alexander eigentlich nur genau zwei Lieder auf der Gitarre spielen kann. Das eine ist *Es geht voran* von den Fehlfarben, und das andere ist *Brother Louie* von Modern Talking. Jedenfalls schnappt Alexander sich die Gitarre und fängt an, die ersten blöden Akkorde von *Brother Louie* zu spielen. Der Inder grinst und schnippt mit den Fingern und stampft mit den Füßen auf dem Lehmboden der Bar herum, und plötzlich füllt sich die ganze Bar mit Indern, die sich, angelockt von der Musik, alle um Alexander scharen, und, jetzt kommt's: Alle kennen das Lied ganz genau, und durch die dreckige Bar mitten in der Wüste erschallt ein Männerchor: *Brother Louie, Louie, Louie ... How you douie, douie, douie.*

Das hat er mir jedenfalls so geschrieben und daß er das Stück den ganzen Abend spielen mußte und daß er und die Inder dann ein Spiel gemacht haben, bei dem derjenige, der am leisesten *Brother Louie* mitsingt, einen Schnaps kippen muß, und am Schluß waren alle mächtig betrunken, und alle haben vor Freude und vor Glück geweint.

Was ich sagen will, ist: Ich habe das ja verstanden, was der Alexander damit meinte, aber eben auch wieder nicht. Es gibt so Momente, in denen ich alles genau verstehe, so, wie mit Nigel und seinen T-Shirts, und dann plötzlich entgleitet mir wieder alles. Ich weiß, daß es mit Deutschland zu tun hat und auch mit diesem grauenhaften Nazi-Leben hier und damit, daß die Menschen, die ich kenne und gern habe, so eine bestimmte Kampfhaltung entwickelt haben und daß es für sie nicht mehr anders möglich ist, als aus dieser Haltung heraus zu handeln und zu denken. Das verstehe ich ja noch. Aber manchmal verstehe ich den Ansatz dieser Haltung nicht, die Herangehensweise, und dann frage ich mich, ob das immer schon so war und ob ich nicht vielleicht auch so bin, eben für die anderen überhaupt nicht mehr nachvollziehbar.

Draußen rauscht Frankfurt vorbei. Die Hochhäuser und der Messeturm, wo ja niemand drinnen ist, weil niemand die Mieten bezahlen kann, und ich sehe alles und muß an Alexander denken, wie er auf dem Deck dieser Yacht steht, den Joint in der Hand, lässig angewinkelt. Das Licht ist so hell auf diesem Foto, alles ist so gut ausgeleuchtet und klar zu sehen. Ich würde ihn gerne wiedersehen, denke ich. Ja, das würde ich wirklich gerne.

Ich muß gerade daran denken, wie dieser ganze Streit mit ihm eigentlich genau entstanden ist, und als wir vor dem Frankfurter Hof ankommen, bin ich ganz in Gedanken, und der Fahrer gibt meinen Koffer dem Hotelpagen, und ich bezahle den Fahrer, und dann melde ich mich an der Rezeption, immer noch vollkommen abwesend, weil ich ja an den Streit mit Alexander denken muß, und dann sitze ich im Hotelzimmer, und der Page zieht demonstrativ die Vorhänge auf und zu und öffnet die Minibar und knipst das Badezimmerlicht an.

Diese Art von Herumfisteln kann ich nicht haben. Soll er doch sagen, was er will. Also setze ich mich demonstrativ auf das Bett und starre den Hotelpagen an, und der wird unsicher, und dann räuspert er sich, guckt leicht betreten und irgendwie auch pikiert, und dann zieht er die Zimmertür hinter sich zu, ohne mir einen angenehmen Aufenthalt gewünscht zu haben. Blödmann, denke ich, und dann schalte ich den Fernseher ein und drehe den Ton ab und lege mich auf das frisch bezogene Bett und schließe die Augen.

In meinem Kopf summt es. Ich bin müde, aber ich weiß, daß ich nicht schlafen kann. Ich denke an den Streit mit Alexander und wie es dazu kam, und dann fällt mir Varna wieder ein. Varna, das war so ein Mädchen damals, mit dem sich Alexander angefreundet hatte. Varna ging immer auf Vernissagen, wurde überall eingeladen und kannte so ziemlich jeden in diesen furchtbar heruntergekommenen Szene-Bars, von denen ich ja vorhin schon erzählt hatte. So wie das Cool in Hamburg oder der Sorgenbrecher. Nur wohnte Varna in Frankfurt, und sie ging immer ins Romantica und in ähnliche Läden. Hauptsache, die Bars waren fertig, und Hauptsache, es stank da nach ausgelaufenem, vier Tage alten Bier, das ja ein bißchen wie alte Kotze riecht, wenn man es lang genug liegenläßt.

Aber sowas gefällt manchen Menschen, es gefällt ihnen sogar sehr gut, und ich erzähle auch gleich warum.

Also, Varna ging jeden Abend aus, und wenn sie nicht ausging, dann ging sie auf Vernissagen. So eine Person war das. Ich war ein paarmal mit auf diesen Vernissagen, zusammen mit Alexander.

Manchmal, in Hamburg, da traf ich sie, wenn Nigel mich auf so eine Ausstellung mitschleppte. Das Interessante daran war, daß Varna einen nie länger als 34 Sekunden beachtete. Dann nahm sie einen Zug aus der Bierflasche, die sie immer auf Vernissagen mit sich herumtrug und die nie leer zu sein schien, wirklich nie, und verschwand in Richtung irgendeines Künstlers, der sich absichtlich schlecht anzog. So mit Cordoverall, häßlichen, dicken Turnschuhen, fettigen Haaren und Arbeiterkappe. Diese Künstler hatten manchmal Farbspritzer auf ihren Turnschuhen, aber die meisten arbeiteten eh mit Installationen und hatten nicht viel zu sagen. Wenn man mal genau hinhörte, dann hatten die eigentlich überhaupt nichts zu sagen.

Im Grunde haben diese Menschen nur nachgeplappert, was sie in diesen Heften, Texte zur Kunst hießen die, glaube ich, gelesen hatten, und das, was in diesen Heftchen stand, war auch nicht besonders interessant. Jedenfalls rannte Varna immer auf diese Menschen zu, und man hatte das Gefühl, daß es ihr furchtbar peinlich war, vorher 34 Sekunden lang bei mir gestanden zu haben, weil ich rahmengenähte Schuhe trage und mich weigere, über Kunst zu diskutieren oder über irgendwelche Independent-Bands, die im Spex erwähnt werden, oder über den aufkeimenden Rechtsradikalismus, die braune Scheiße, wie Varna immer sagte. Noch schlimmer war es, wenn sie über Hip-Hop redete. Hip-Hop, das wäre die neue Punk-Musik, die echte Auflehnung und so weiter, in einem fort, ohne Ende.

Alexander hatte an Varna einen Narren gefressen. Ich weiß auch nicht mehr, wie das kam. Alexander war doch sonst immer so ein kluger Kopf. Er war in Varna verliebt. Er schrieb ihr lange Briefe von seinen Reisen durch Afghanistan und Gott weiß wohin, wahrscheinlich längere Briefe als er mir damals schrieb. Er rief sie an, und wenn er wieder in Deutschland war, dann verabredete er sich mit ihr in Elendskneipen, in denen Menschen mit langen Koteletten herumstanden und Bier aus der Flasche tranken und gelangweilt aussahen und jeden musterten, der zur Tür hereinkam, um sich dann wieder gelangweilt über ihr Bier zu beugen und mit ihren noch blöderen Freunden das letzte Public-Enemy-Konzert zu besprechen oder den letzten Text von Diedrich Diederichsen.

Anfangs habe ich ihn noch gewarnt, aber bei Alexander nützt das nichts. Er ist so ungefähr der sturste Mensch, den ich kenne. Er hat sich also Hals über Kopf in Varna verliebt. Dabei fällt mir ein, daß ich noch nicht erzählt habe, warum Varna Varna heißt. Das ist wegen der Stadt am Schwarzen Meer, in der sich ihre Zonen-Eltern kennengelernt haben. Als die Eltern dann in den Westen kamen, wurde Varna auf der Schule immer gehänselt wegen ihres Namens. Die Kinder haben immer gesungen und sie gepiesackt im Schulhof, und daher hat Varna ihren Knacks weg, daß sie immer beliebt sein will, auf Vernissagen und in Szenekneipen und so.

Das Wichtigste damals war, daß ich Varna nicht akzeptiert habe. Ich habe ihr nie zugehört, obwohl ich sonst eigentlich allen zuhöre, weil ja alles irgendwie interessant ist. Alexander hat das nicht wahrhaben wollen, daß ich seiner großen Liebe nicht zuhöre.

Ich konnte es einfach nicht. Varna war so billig, so vorhersehbar, so liberal-dämlich, daß es einfach nicht möglich war, sich ihre blöden Ideen anzuhören, ohne auszurasten und sie zu treten oder ihr zumindest aufs Maul hauen zu wollen. Und das konnte ich ja nun nicht, weil Alexander mein Freund war, also habe ich einfach nicht hingehört und manchmal etwas völlig Konträres gesagt, nur um irgend etwas zu sagen, aber das paßte dann nicht in die Unterhaltung hinein, die meistens um so Sachen ging wie: Daß man ja eigentlich doch die Grünen wählen müßte, oder Man müsse ein Beispiel setzen und kein Auto mehr fahren, nach der ultra-dämlichen Devise Think globally, act locally, und so weiter. Ich hab dann immer so Sachen gesagt, daß man zum Beispiel eine Einlaufanstalt in jedem Bundesland bauen müßte und daß da jeder, der sich aufregt über politische Verhältnisse, einen polizeilich verordneten Einlauf bekommen müßte.

Varna hat dann immer gesagt, ich wäre ja ein Nazi und vollkommen unpolitisch, und ich wollte sie dann eigentlich immer fragen, wie das denn gehen soll, gleichzeitig Nazi und vollkommen unpolitisch zu sein, aber das habe ich sie nicht gefragt, weil ja Alexander dabei war, und der hat Varna doch so sehr geliebt. Das Ganze ist immer weiter eskaliert, ich konnte nicht anders. Die Frau war einfach zu dumm. Irgendwann kam es zum richtigen Streit, und Alexander hat sich für Varna entschieden. So war das.

Also, ich liege da im Hotelzimmer in Frankfurt auf dem Bett, und von draußen scheint die Sonne durch das Fenster, und ich will ein bißchen schlafen, kann aber nicht schlafen, weil in meinem Kopf die Gedanken so hin- und herrasen. Komischerweise ist mir auch leicht übel, und ich denke, das kommt wohl noch von dieser Droge, die Nigel mir gestern in Hamburg gegeben hat. Ich drehe mich auf die Seite und rieche an dem frischen weißen Laken, und dann zünde ich mir eine Zigarette an, und dann denke ich, daß ich gerne eine Cola hätte, nehme den Hörer ab, um den Zimmerservice anzurufen und wähle aus Versehen Alexanders Nummer. Es knackt in der Leitung, und dann tutet es, und dann höre ich Alexander, der sich meldet.

Meine Hand, die den Telefonhörer hält, zittert, und unter meinen Achseln läuft so ein dünner Schweißtropfen bis zur Hüfte, und ich sehe links an mir herunter, und tatsächlich verfärbt sich das hellblaue Hemd da unten kurz vor dem Hosenbund an einer Stelle dunkel. Ich ziehe an meiner Zigarette, und Alexander sagt: Hallo, wer ist da, und auf einmal wird alles schummrig in meinem Gehirn. Ich habe das Gefühl, als ob ich nach hinten kippe. Ich sehe so schwarze und gelbe Dinge, und ich weiß nicht, was es für Dinge sind. Hallo, kommt noch einmal aus dem Hörer, aber von ganz weit weg über mir oder von hinten. Dann macht es klick in der Leitung, und Alexander hat aufgelegt.

Ich stehe auf, und der Hörer fällt mir aus der Hand. Er knallt gegen den Holztisch aus Mahagoni. Ein paar schwarze Plastikteile splittern ab und bilden ein seltsames Muster auf dem hellgrauen Teppich. Die Plastikteile sehen so aus wie der Umriß von England oder wie eine Landkarte von England. Ich starre auf diesen Umriß, und dann muß ich mich übergeben. Große gelbe Kotzschwälle platschen auf den Teppich, direkt neben den kaputten Telefonhörer. Ich würge ein paar mal trocken, und dann schießt dummerweise die beißende Kotze wieder hoch und bedeckt mein Jackett und das Hemd mit einer übelriechenden, gelben Soße.

Ich sitze eine Weile auf der Bettkante. Es geht mir bedeutend besser, wie immer, kurz nachdem man sich übergeben hat. Das Jackett und mein Hemd und die Hose sind vollkommen ruiniert, also ziehe ich mich aus, gehe zum Koffer, den der Hotelpage auf so ein Podest neben dem Fernseher gestellt hat, öffne ihn, schnapp, schnapp macht das, und ich nehme mir ein frisches Oberhemd, ein paar beige Hosen und das Tweedjackett, und ich lege alles auf das Bett, auf die Seite, die keine Kotze abgekriegt hat. Dann gehe ich ins Badezimmer, schalte dort das Radio ein, und während *I am sailing* von Rod Stewart läuft, seife ich mich mit der Hotelseife unter der kochendheißen Dusche ein.

Nachdem ich mich ganz gesäubert habe, mache ich den Abfluß zu und lasse die Badewanne vollaufen, und dann mache ich das Radio aus und lege mich in die Wanne, und weil das so schön warm ist und sauber und behaglich da drinnen, schlafe ich ein und merke es noch nicht mal, daß ich einschlafe.

Irgendwann wache ich wieder auf. Das Wasser in der Badewanne ist kalt. Ich habe keine Ahnung, wie lange ich geschlafen habe. Einen Kater bekomme ich ja nicht mehr. Anfangs habe ich noch gedacht, daß ich Alkoholiker geworden sei, aber inzwischen denke ich das nicht mehr, auch wenn ich zwei Tage und zwei Nächte durchgetrunken habe und immer noch keinen Kater hab. Ich steige aus der Wanne und trockne mich ab mit den schönen weichen Handtüchern des Hotels und versuche, dabei nicht in den Spiegel zu sehen. Dann gehe ich ins Schlafzimmer, um mich anzuziehen.

Während ich in der Wanne lag, hat irgend jemand das Bett aufgeschlagen, die Kotze vom Teppich weggewischt, das kaputte Telefon ausgewechselt und meine vollgekotzte Kleidung abgeholt. Das finde ich irgendwie wahnsinnig rührend und nett, und ich setze mich nackt auf die Bettkante, und plötzlich muß ich daran denken, wie ich als Kind auf Sylt mal bei Hansens in Kampen eingeladen war.

Hansens waren so eine Sylter Familie. Ich glaube, der Vater hatte einen Getränkemarkt oder so etwas ähnliches. Jedenfalls habe ich am Strand den Henning Hansen kennengelernt, beim Burgenbauen, und wir kamen gut miteinander aus, vor allem, weil Henning ein Fahrrad mit Bananensitz hatte und wir immer zu zweit mit dem Ding zum Kiosk gefahren sind und Grünofant gekauft haben.

Na ja, eigentlich war das ja so, daß er sich nur Berry leisten konnte, und ich, da ich natürlich immer mehr Geld hatte, habe uns dann jedesmal Grünofant gekauft. Das haben wir immer in den Dünen gegessen. Damals, ich erinnere mich, schien mir das eine so erschreckend normale Tätigkeit, so, als ob alle Jungen in meinem Alter sich die ganze Zeit nie Gedanken machen würden über Dinge, sondern nur mit Fahrrädern mit Bananensatteln spielen und Grünofant essen würden, und zwar alle, ohne Ausnahme. Ich fand das großartig, daß Henning sich nur mit solchen Dingen beschäftigte. Das Leben war eben normal für ihn.

Einmal, ich erinnere mich, da war es schon Herbst. Es war schon richtig kalt draußen, und wir hatten natürlich wieder Grünofant gegessen und jeder auch noch zwei Berrys, und dann sind wir zu Henning Hansen nach Hause gefahren, obwohl ich das ja eigentlich nicht durfte, zu fremden Leuten ins Haus, und dann saßen wir zusammen im Keller und haben Zigaretten gegessen.

Ich erinnere mich noch genau an den Geschmack. Henning mußte immer Markstücke in die Heizung werfen, das war so ein Gerät von kurz nach dem Krieg, und neben der Heizung stand ein Einmachglas mit Markstücken, die waren alle von Hennings Vater abgezählt, und die mußte Henning in die Heizung tun, damit sie lief. Wir haben jeder mindestens drei Zigaretten gegessen, und dann hatten wir natürlich noch das Eis im Bauch. Mir wurde zuerst schlecht, und ich bin rausgerannt, vor die Tür, ohne Jacke, und dann habe ich bei Henning Hansen in den Garten gekotzt. Der einzige Gedanke, den ich dabei hatte, war: Oh Gott, ich darf doch nicht ohne Jacke aus dem Haus.

Wir haben danach noch ein paarmal Eis gegessen am Kiosk, aber irgendwie war die Luft raus. Henning ist auch von seinem Vater dabei erwischt worden, wie er aus dem Einmachglas neben der Heizung Geld genommen hatte. Heute glaube ich, daß es daran lag, daß er es einfach nicht ertragen konnte, daß er immer nur Berry hat kaufen können und ich immer Grünofant. Wir haben uns dann immer weniger gesehen und am Schluß gar nicht mehr.

Während mir das alles einfällt, muß ich lächeln, so ein richtig freundliches Lächeln. Ich sehe mich im Spiegel nackt auf der Bettkante sitzen, und ich lächle mich an. Eine ganze Weile bleibe ich so sitzen, weil das so ein netter Moment ist, und dann stehe ich auf, suche mir meine Kleidung zusammen, die ich mir vorhin zurechtgelegt hab und ziehe mich an. Draußen ist es schon dunkel, ich habe aber keine Ahnung, wie spät es ist. Dann stecke ich mir meinen Zimmerschlüssel in die Jackettasche, verlasse das Hotel und nehme ein Taxi zum Café Eckstein. Unterwegs sehe ich auf die Uhr auf dem Armaturenbrett, und danach sehe ich mir meine Fingernägel an.

Es ist schon ziemlich spät am Abend, das Eckstein ist voll. Unten, im Keller, spielt irgendwelche Billig-Techno-Musik. Ich setze mich auf einen Hocker an der Bar oben und bestelle einen Apfelwein. Ich trinke immer Apfelwein, wenn ich in Frankfurt bin. Ich liebe diesen stechenden Schmerz hinter dem linken Auge, der sich nach dem zweiten Glas einstellt. Das ist fein, weil Äbbelwoi so etwas wie einen Kater gibt, bevor man überhaupt betrunken gewesen ist.

Hinter der Bar ist so ein großer Spiegel, und während ich hineinsehe und mich dabei beobachte, wie ich die Augenbrauen hochziehe, um zu sehen, wieviele Falten ich schon auf der Stirn habe, sehe ich hinter mir ein paar hübsche Mädchen hereinkommen. Ich zünde mir eine Zigarette an und trinke einen Schluck Apfelwein aus dem geriffelten Glas. Ich denke daran, daß diese einfachen, in sich gemusterten Äppelwoi-Gläser wirklich sehr hübsch sind und daß ich mir eigentlich welche kaufen sollte, aber ich weiß nicht, wohin ich die Gläser stellen würde, und dann denke ich daran, daß es eigentlich ziemlich albern ist, sich irgendwelche Gläser kaufen zu wollen. Währenddessen beobachte ich, wie die hübschen Mädchen von eben sich an einen Tisch setzen, sich Zigaretten anzünden und herumalbern.

Frankfurter Mädchen haben immer so eine Selbstverständlichkeit, die man nirgendwo sonst in Deutschland findet. In Hamburg sind alle Mädchen barbourgrün, in Berlin ziehen sie sich betont schlecht an, damit sie so aussehen wie Künstler, und in München haben die Mädchen wegen dem Föhn so ein seltsames inneres Leuchten. Aber in Frankfurt, da sind die Mädchen einfach lässig. Ich meine jetzt nicht solche wie Varna, die habe ich ja vorhin schon beschrieben, sondern Mädchen, die Kleider anhaben und halblange, hellbraune Haare und leicht nach oben zeigende Nasen und die in Kneipen herumsitzen und lachen.

Während ich mir das so überlege, bemerke ich, wie eines von den Mädchen am Tisch immer in den Barspiegel sieht, und zwar durch den Spiegel mir direkt in die Augen. Sie macht das ziemlich offensiv, und ich sehe ein paarmal demonstrativ weg, um dann ganz schnell wieder hinzuschauen. Sie sieht mir immer noch in die Augen, und mir ist das fast etwas peinlich, weil ich mit so aggressiver Flirterei nie viel anfangen kann. Ich trinke noch einen großen Schluck Apfelwein, drücke die Zigarette in den Aschenbecher und lächle dann in den Spiegel hinein, und zwar in meiner charmantesten Weise, so halb von unten. Das Mädchen lächelt zurück, nein, eigentlich strahlt sie zurück, und ich sehe im Spiegel ihre extrem weißen Zähne, und tatsächlich fehlt ihr vorne am Schneidezahn ein kleines Stückchen.

Mir läuft ein kleiner angenehmer Schauer den Rükken herunter, der gleiche Schauer übrigens, den ich auf öffentlichen Pissoirs bekomme, wenn ich auf die Duftwürfel pisse und dann den süßlichen Geruch der Duftwürfel, gemischt mit dem etwas schärferen Geruch des Urins, einatme. Der gleiche Schauer ist das. Er beginnt irgendwo in der Wirbelsäule hinten und saust dann hoch und endet bei den Ohren, und dann muß ich mich immer so wohlig schütteln. Ich schüttle mich also, sehe bestimmt nicht allzu gut aus dabei, drehe mich dann auf dem Barhocker um, das Äbbelwoi-Glas in der Hand, mit einem überaus charmanten Lächeln im Gesicht, das kann ich nämlich ganz gut, und ich stelle gerade die Füße auf den Boden und will zu dem Mädchen an den Tisch gehen und mich vorstellen, als die Tür des Ecksteins aufgeht und Alexander hereinkommt. Er trägt eine völlig verwarzte grüne Barbourjacke mit einem Eintracht Frankfurt-Aufnäher dran und hat fettige, schulterlange blonde Haare, die beim Gehen hin und her wippen.

Das haut mich natürlich um. Ich stehe völlig verdutzt da, und einerseits bin ich wahnsinnig froh, andererseits erschreckt mich das zu Tode, weil ich da ja überhaupt nicht drauf vorbereitet bin, ihn zu treffen, meine ich. Das Beste kommt jetzt aber noch: Er sieht mich nicht. Er sieht mich überhaupt nicht, das muß man sich mal vorstellen. Er geht einfach an mir vorbei, obwohl ich direkt an der Bar auf dem blöden Barhocker sitze und ihn anstarre.

Alexander geht durch das Eckstein, und ich verfolge ihn mit meinem Blick. Vielleicht sieht er es ja, denke ich, vielleicht sieht er es, wenn ich ihn ansehe. Vielleicht habe ich mich so verändert, daß er mich nicht erkennt, vielleicht liegt es daran. Aber er dreht sich nicht um, wirklich nicht. Er zieht seine Barbourjacke aus und legt sie über eine Stuhllehne, plaudert mit den Jungs und trinkt dabei ein paar Bierflaschen leer, die noch auf dem Tisch stehen. Das ist der alte Alexander, denke ich. Er hat immer die Reste ausgetrunken von anderen Leuten. Dann geht er zur Treppe, nach unten, wo die Techno-Musik läuft, und verschwindet im Keller.

Ich zahle meinen Äbbelwoi an der Bar und laufe zu dem Tisch, an dem Alexanders Jacke hängt. Ich denke gar nicht lange nach, sondern nehme die Barbourjacke von der Stuhllehne und ziehe sie an. Keiner sieht mir zu, ich merke aber, wie meine Ohren trotzdem rot und heiß werden. Ich klappe den braunen Cordkragen hoch, obwohl ich das normalerweise nie mache und laufe aus dem Eckstein raus. Keiner kommt mir nach, keiner ruft mir hinterher. Die Barbourjacke ist schön warm, auch wenn kein Futter drinnen ist, und ich stecke die Hände in die Außentaschen und laufe auf dem Kopfsteinpflaster. Klack Klack macht das, weil ich ja unter meinen Schuhen so Metallteile habe. Wie die genau heißen, hab ich vergessen. Ich versuche, mich daran zu erinnern, aber es fällt mir wirklich nicht mehr ein.

FÜNF

Ich bin dann ziemlich schnell weg aus Frankfurt. Nicht, weil es so deprimierend gewesen ist, das mit Alexander, sondern weil ich überhaupt nicht wußte, was ich in dieser Stadt soll. Frankfurt ist ja auch so extrem abstoßend, das habe ich ja schon mal gesagt. Ich nehme also einen Zug nach Süden, einen dieser Interregios, und löse im Zug beim Schaffner, der ein bißchen nach Schweiß riecht und sich ziemlich umständlich aufführt, eine Fahrkarte nach Karlsruhe. Es gibt Städte in Deutschland, da war ich noch nie. Aachen und Düsseldorf, aber eben auch Karlsruhe. Ich werde mir jetzt mal so richtig Karlsruhe ansehen.

Also sitze ich wieder in diesem unfaßbar häßlichen Bord-Treff, der genauso aussieht wie das Bistro im ICE, nur, daß der Bord-Treff noch etwas grauenvoller gestaltet ist, und trinke ein Christinen-Brunnen-Mineralwasser, weil mir vorhin auf dem Frankfurter Hauptbahnhof etwas schummrig war und ich das Gefühl habe, ich könnte jetzt absolut keinen Alkohol vertragen. Christinen-Brunnen ist natürlich so ein gräßliches ProletenWasser, aber es ist immer noch besser als diese neuen schwedischen oder belgischen Wasser, Spa, zum Beispiel, oder Ramlösa oder wie die alle heißen.

Außer mir sitzt niemand im Bord-Treff. Das nennt sich wirklich so. Bord-Treff. So eine Frechheit. So eine niederträchtige riesengroße Frechheit. Ich überlege mir, wer sich wohl diesen Namen ausgedacht haben mag. Ich meine, saßen da irgendwelche Menschen mit bunten Brillen in einem Designbüro in Kassel und haben sich tatsächlich darüber den Kopf zerbrochen, ob diese Monstrosität in der Mitte ihrer geschmacklosen Züge nun Bord-Treff heißen sollte oder nicht? Vielleicht hat einer ja gesagt: Nein, Gastro-Stubb müßte es heißen, oder vielleicht sogar Iß Was. Nee, haben alle gesagt, nee, wir brauchen etwas Gemütliches, etwas, das nach Heimat klingt, aber gleichzeitig auch nach High-Tech, nach Flugzeug und nach Geschwindigkeit. Schließlich haben sie sich dann auf Bord-Treff geeinigt, die Agentur hat dann drei Millionen Mark eingestrichen und alle sind mit ihren Armani-Sakkos und ihren bunten Brillen in die Toskana gefahren, Chianti trinken und Lebensgefühl tanken. Unfaßbar. Aber so war das vermutlich.

In diesem Moment geht die Tür des Bistros auf, und einer kommt herein, der genauso aussieht wie Matthias Horx. Ich sehe ihn mir von der Seite an und in diesem Moment sehe ich, daß es tatsächlich Matthias Horx ist. Dieser Horx ist so ein Trendforscher aus Hamburg, muß man dazu wissen, der sich immer und überall Notizen macht, und wenn ihm jemand wichtig oder irgendwie trendverdächtig genug ist, dann schreibt Horx auf, was dieser Mensch gesagt hat oder was er für Anziehsachen anhat oder so. Der Horx ist immer in so schwarze wallende Mäntel gehüllt und hat ganz schütteres langes weißes Haar, und er sieht tatsächlich haargenau so aus wie der irre Wanderprediger in dem Film Poltergeist 2.

Zum Glück erkennt er mich nicht, obwohl ich ihn schon mehrmals auf einer Party belästigt habe, und zwar haben Nigel und ich uns damals ausgedacht, daß wir ein Musical für Matthias Horx schreiben werden, das wir Horxiana! genannt haben, und das wäre dann so eine Mischung aus Starlight Express und Phantom der Oper, nur daß Matthias Horx eben das Phantom wäre und andauernd auf so Rollschuhen rumfahren müßte und nie zur Ruhe käme, weil ihm keine Trends mehr einfielen.

Na, jedenfalls habe ich ihn damit mehr als einmal belästigt, völlig betrunken in irgendwelchen Bars auf ihn eingeredet, das wäre doch das Allergrößte, das müßte man sofort produzieren, nein abfeaturen habe ich damals gesagt, und immer darauf gewartet, daß sich dieser schwachsinnige Horx das jetzt aufschreibt. Ist aber nie passiert, leider. Und jetzt sitzt dieser Mensch hier im Bord-Treff des Interregios Frankfurt–Karlsruhe und bestellt sich hübsch ordentlich bei der Kellnerin ein Bier.

Er erkennt mich immer noch nicht. Ich glaube, er will mich nicht erkennen. Er schämt sich, mir guten Tag sagen zu müssen. Ich muß dazu, glaube ich, erklären, daß dieser Horx so eine ganz große Negativ-Faszination auf mich ausübt. Ich drehe mich also zu ihm hin, und während er sein Bier bekommt, hebe ich mein Glas Christinen-Brunnen-Mineralwasser und sage: Prost, Matthias.

Jetzt kann er mich natürlich nicht mehr ignorieren. Er guckt aus seinen traurigen Wanderpredigeraugen zu mir herüber, zieht ein bißchen die Brauen zusammen und kommt dann an meinen Tisch. Ich frage ihn, wohin er denn fährt, und da sagt er allen Ernstes, er fahre zu einem Trendkongreß nach Karlsruhe. Eigentlich habe er ja mit dem Auto fahren wollen, aber das könne er irgendwie nicht mehr reinen Gewissens tun, Autofahren, meine ich.

Ob ich auch nach Karlsruhe fahren würde? Vor mir auf dem Tisch liegt so ein Faltblatt der Bundesbahn, und ich schaue schnell drauf, und die nächste Station ist Heidelberg, und da ich mir nichts Schlimmeres auf der ganzen Welt vorstellen kann, als mit Matthias Horx bis Karlsruhe über den dortigen Trendkongreß zu plaudern, sage ich schnell, ich würde nur bis Heidelberg fahren. Ah, sagt er da. Heidelberg. Old Heidelberg. Und dann grinst er ganz schnell sein weises Horx-Grinsen.

Old Heidelberg. Das geht mir durch den Kopf, und nachdem ich Matthias Horx auf Wiedersehen gesagt habe, murmele ich es ein paarmal so halb laut vor mich hin. Old Heidelberg, Old Heidelberg. Hier steige ich aus.

Die Amerikaner wollten Heidelberg nach dem Zweiten Weltkrieg zu ihrem Hauptquartier machen, deswegen ist es nie zerbombt worden, und deswegen stehen die ganzen alten Gebäude noch, so, als ob nichts geschehen wär, außer natürlich dem miesen Pizza Hut und irgendwelchen Sportartikelläden, und eine riesige Fußgängerzone gibt es natürlich auch. Der Bahnhof aber, der ist noch ein richtiger Bahnhof, so aus den fünfziger Jahren, und wenn man herauskommt, dann leuchtet einen so eine gigantische Weltkarte aus Neon an, auf der steht irgend etwas von Heidelberger Druckmaschinen, führend in der Welt.

Das ist nun Heidelberg, und es ist wirklich schön dort im Frühling. Dann sind die Bäume schon grün, während überall sonst in Deutschland noch alles häßlich und grau ist, und die Menschen sitzen in der Sonne an den Neckarauen. Das heißt tatsächlich so, das muß man sich erst mal vorstellen, nein, besser noch, man sagt das ganz laut: Neckarauen. Neckarauen. Das macht einen ganz kirre im Kopf, das Wort. So könnte Deutschland sein, wenn es keinen Krieg gegeben hätte und wenn die Juden nicht vergast worden wären. Dann wäre Deutschland so wie das Wort Neckarauen.

Mein Gott, ist das fein, denke ich, und dann stehe ich schon vor dem Bahnhof, atme die süddeutsche Luft ein, und dann nehme ich ein Taxi zum Hotel Alt Heidelberg. Ich kenne das Hotel nicht, und normalerweise wohne ich nur dort, wo ich schon einmal war, aber ich kenne Heidelberg ja überhaupt nicht, und deswegen habe ich auf die Hotelempfehlungskarte in der Bahnhofshalle gesehen, ziemlich lange sogar, und obwohl es sicher bessere und teurere Hotels da gibt, nehme ich das mit dem Namen Alt Heidelberg.

Der Nigel war ziemlich oft hier. Aus welchen Gründen weiß ich nicht. Jedenfalls hat er immer erzählt, daß es dort trotz der vielen Japaner und der Amerikaner und der furchtbaren Proleten wirklich wunderschön sei, und deswegen bin ich jetzt hier in Heidelberg, nur weil Nigel es immer gesagt hat.

Und wirklich: Das Taxi gleitet durch die Straßen, ganz anders als Taxis sonst, die eigentlich immer nur fahren, nicht gleiten, und vorne fährt so ein maulfauler Student, dessen verfilzte Haare nach Haschisch riechen, und aus seiner Anlage kommt *I shot the Sheriff* von Bob Marley.

Wahrscheinlich ist ihm der Bafögsatz zu niedrig. Er bekommt zwar noch Geld von seinen Eltern, aber trotzdem fährt er nebenher Taxi, weil ja das Studentenleben so verdammt teuer ist und die Haschischbrocken bezahlt werden müssen, aber eigentlich kann nicht mal er dem etwas anhaben, diesem unglaublichen Gefühl, das Herz Deutschlands zu durchgleiten.

Der Nigel hat recht gehabt, denke ich, obwohl es mir einen Moment lang schwerfällt, das zuzugeben. Natürlich gebe ich das ja nicht zu, sondern denke es nur so im stillen, aber es ist wirklich ein bißchen schwer, wenn jemand recht hat, dem man dieses Rechthaben nicht mehr zusprechen mag.

Das Hotel ist nicht wirklich alt. Es steht zwar an der Ecke einer alten Häuserreihe, aber es ist mehr so Jahrhundertwende, dann in den Fünfzigern halbherzig renoviert worden. Gegenüber ist zwar auch noch ein Bräunungsstudio zu sehen, aber ich denke trotzdem, daß das Hotel ganz gut sein wird, obwohl aus dem Bräunungsstudio immer so Individualisten-Männer herauskommen und auf ihre Motorräder steigen. Alle sind tätowiert, wie ja inzwischen fast jeder in Deutschland. Und alle sind sie schön knackig braun und tragen den Keim des Krebses schon in sich.

Drinnen erfahre ich dann, daß das Hotel auch gar nicht mal so viel kostet. Es wird von einem älteren Mann geführt, der unten an der Rezeption steht und dem weiße Haare auf dem Handrücken wachsen. Ich frage ihn, ob er ein Zimmer für mich hat, und er nickt und fragt mich, ob ich es zuerst sehen möchte. Ich sage nein, das geht schon in Ordnung, und dann gibt er mir meinen Schlüssel.

Das ist natürlich extrem fein so, da wird nicht lange herumgefaselt wie in diesen Erlebnishotels, sondern da wird einfach gefragt, ob man das Zimmer sehen möchte. Wenn es einem dann nicht gefällt, sagt man das, und dann kann man sich noch ein anderes Zimmer ansehen oder das Hotel verlassen, und keiner ist irgendwie sauer oder pikiert oder irgendwas. Das läuft sauber ab, und so muß das sein. Seitdem ich in diesem Hotel bin, wird meine Laune von Minute zu Minute besser. Plötzlich bin ich wahnsinnig froh, nicht mehr im Zug zu sitzen. Ich hätte ja dann mit Matthias Horx zum Trendkongreß nach Karlsruhe fahren müssen. Außerdem interessiert Karlsruhe mich nicht wirklich, das habe ich vorhin nur so gesagt.

Der Mann hinter der Rezeption sagt mir noch, meinen

Koffer müsse ich leider selbst hinauftragen, weil er ein Rückenleiden habe und nichts mehr hochheben dürfe. Das finde ich ordentlich, daß er mir das sagt, weil dafür kann er ja nun wirklich nichts. Er trägt einen dunkelblauen Pullover und darüber ein abgeschabtes dunkelbraunes Sakko. Während er redet, reibt er sich die Hände und schabt mit den Fingernägeln über seine Handhaare, so, als ob er dort einen Ausschlag hätte. Er hält meinen Zimmerschlüssel in der linken Hand und spielt so damit, während er irgendein Formular ausfüllt, und ich sehe, daß ihm an der linken Hand der kleine Finger und der Ringfinger fehlen.

Ich denke daran, daß die ihm sicher an der Ostfront abgefroren sind. Er ist als ganz junger Mann, so mit siebzehn, noch eingezogen worden, als im Grunde schon alles verloren war, und dann kam er in den Kaukasus oder weiß Gott wohin. Auf jeden Fall war es schon Frühling, nur immer noch verdammt kalt, und irgendwann bei einem gewaltigen Rückzugsmarsch hat er dann seine Finger nicht mehr gespürt.

Er hat sich die Wollsocken ausgezogen, die er als Handschuhe über seinen Händen getragen hat, hat die Arme im Kreis gedreht, und als das nichts nützte, hat er auf seine Hände draufgepißt. Dann hat er richtig Angst bekommen, und er ist zum Sanitäter gegangen, und die haben gesagt: Höchste Zeit, Mensch. Das Schlimmste können wir gerade noch verhindern. Dann haben sie ihm die Finger abgesägt, ohne Narkose, in einem weiß-grauen Zelt, bei einer kurzen Marschpause. Das ist seine Erinnerung an den Kaukasus.

Also, der Hotel-Mann mit den acht Fingern gibt mir den Schlüssel, und ich gehe die Treppe hoch mit meinem Koffer, und kurz vor dem Zimmer rieche ich an dem Schlüssel in meiner Hand, und er riecht nach Seife, und plötzlich erinnere ich mich an etwas, das irgendwie mit dem Geruch dieser Seife zu tun hat. Was es genau ist, fällt mir nicht mehr ein, ich weiß nur, daß es mit einem Stück Seife zu tun hat, das ich einmal in der Tasche meiner Shorts hatte. Ich glaube, das war auf Madeira. Da war ich mit meinem Vater mal, das muß schon ziemlich lange her sein.

Wir wohnten im Reid's Hotel, und mein Vater hat sich einen Tag lang abgesetzt, weil er irgendwelchen Geschäften nachgehen mußte. Das muß man sich mal vor Augen führen: Geschäfte auf Madeira. Na ja, egal. Ich hab mich also in diesem alten, furchtbar ehrwürdigen Kolonialhotel herumgetrieben und grausam gelangweilt. Ich hab im Billardzimmer eine drei Wochen alte Bravo gelesen, da war die Bravo noch nicht so ein Pornoheft wie heute, mit nackten 17jährigen Lesben zu zweit unter der Dusche, sondern mit schamhaften Artikeln über den Erguß und Fotostorys über Robby Müller von den Teens, über Smokie, oder über Thommy Ohrner in der Fernsehserie Timm Thaler, der ersten Serie übrigens, in der jemand weiße Bermudashorts und Collegeschuhe trägt mit goldenen Schnallen.

Ich hab sie vor- und rückwärts gelesen, seitwärts, alles, wirklich jeden einzelnen Satz in dieser gottverdammten Bravo habe ich gelesen. Schließlich hat mich ein Hotelangestellter gefunden, und der hat mir erst die Bravo weggenommen und mich dann überredet, bei so einem Spiel mitzumachen, unten am Pool. Es wurden einem die Augen verbunden, und dann wurde man am Bein mit einem Gürtel an das Bein eines anderen Menschen gefesselt. Das klingt jetzt alles reichlich merkwürdig, aber das war es gar nicht. Ich meine, bitte, ich war da vielleicht gerade mal elf.

Dann mußten die gefesselten Paare sich in einer Reihe aufstellen und auf ein Kommando hin rannten und hopsten alle los, auf irgendeine Ziellinie zu. Diese Ziellinie war kurz vorm Pool, aber keiner hat es bis dahin geschafft. Alle sind umgefallen, nur ich nicht, weil ich meine Shorts anhatte und der Gürtel, mit dem ich an die andere Person gefesselt war, der hat so stark an meinem Bein gescheuert, daß ich angefangen habe zu bluten. Die Person war ja viel größer als ich, und deswegen hat das so gescheuert. Na ja, und dieser Schmerz war halt so extrem, das klingt jetzt vielleicht dumm, aber ich sag das trotzdem mal: Ich konnte einfach nicht umfallen.

Der Gürtel rieb und rieb an der Innenseite meines Beines, und ich habe natürlich nichts gesehen wegen der Augenbinde, und ich hab gemerkt, wie mein Bein ganz feucht und heiß wurde wegen dem Blut, das da runterlief, aber ich bin nicht hingeflogen, auf gar keinen Fall. Die anderen waren alle erwachsen und haben gelacht, weil es ihnen auf eine andere Art Spaß gemacht hat als mir, aber ich, ich bin vollkommen zielstrebig auf den Pool zugelaufen. Wo der genau war, das habe ich mir natürlich gemerkt, als sie mir die Augen verbunden haben. Die Person, an die ich mich überhaupt nicht mehr erinnere, und ich, wir haben das Spiel gewonnen.

Der Preis war einen Tag mit einem Mietwagen Madeira erkunden. Das fand ich ziemlich mies, weil ich nicht Autofahren konnte und mich das blöde Madeira auch nicht die Bohne interessiert hat. Es gab auch keinen Ersatzpreis oder so, nicht mal irgendein Buch oder ein Spielzeug. Da hat die Hotelleitung überhaupt nicht mit sich reden lassen. Ich war ziemlich enttäuscht. Die Bravo habe ich auch nicht wiedergekriegt von dem Angestellten, damals.

Ich hab das mal erzählt, weil es irgend etwas mit dem Geruch der Seife zu tun hat. Ich hatte die Seife, wie gesagt, in meinen Shorts drin, und sie roch damals wie heute gleich, so ein leichter Altherrengeruch. Sauber, aber irgendwie auch ungewaschen. Na, jedenfalls mache ich mit dem Schlüssel die Hoteltür auf, ich bin ja immer noch im Hotel Alt Heidelberg, während ich mich an das blöde Spiel auf Madeira erinnere, und dann gehe ich ins Zimmer und mache erst mal das Licht an, weil es ziemlich düster ist da drinnen. Es riecht auch leicht muffig, so nach alten Betten und Cordkissen und nach Teppichen, auf denen schon lange nicht mehr Staub gesaugt worden ist.

Ich zünde mir rasch eine Zigarette an und puste den Rauch vor mir her, ins Zimmer hinein. Dann mache ich die Tür zu und ziehe die Ado-Gardinen auf und mache das Fenster ganz weit auf. Draußen ist es noch richtig hell, und man hat so das Gefühl, daß es noch lange hell sein wird, so ein Licht ist das. So ein Licht gibt es gar nicht in Norddeutschland.

Ein paar Autos fahren vorbei, und jede Menge Studenten sitzen auf Fahrrädern und gucken nicht nach links und nicht nach rechts, wenn sie über die Kreuzungen fahren. Die Nachmittagsluft ist mild. Es sieht so friedlich aus von hier oben, so wunderschön betulich alles. Wenn ich betulich sage, dann meine ich das wirklich ernst, und nicht zynisch, so wie das vielleicht hier jetzt klingt. Ich rauche die Zigarette zu Ende, werfe den Stummel aus dem Fenster und zünde mir noch eine an.

Ich ziehe mich erst mal um. Da schöpfe ich merkwürdigerweise immer viel Kraft raus, aus dem Umziehen. Alexanders Barbourjacke, die ja jetzt mir gehört, hänge ich auf einen Bügel und dann auf den Haken hinter der Tür. Den Eintracht-Frankfurt-Aufnäher reiße ich ab, obwohl er mich an Alexander erinnert, aber Fußball interessiert mich nun mal überhaupt nicht, außerdem will ich nicht mit so einem Ding an der Jacke herumlaufen. Das gehört sich einfach nicht. Ich meine, ich verstehe ja im Grunde, warum Alexander den Aufnäher da hingenäht hat, so aus halb witzigen, halb Proletensolidaritäts-Gründen, aber ich fühle mich mit sowas Aufgenähtem nur dumm und gar nicht witzig.

Ich ziehe mir also ein frisches Hemd an, das noch ganz hübsch gefaltet und gebügelt ist. Die Hemden hat mir Bina auf Sylt noch alle gewaschen und gestärkt, acht Stück sind es, und fünf frische habe ich noch. Meine Hemden sind alle von Brooks Brothers. Kein Hemdenmacher schafft es, so einen wunderbaren Stoff herzustellen. Der Kragen bei diesen Hemden rollt sich ein bißchen, und das Hellblau sieht immer frisch aus, und deswegen kann man sie wirklich jederzeit tragen. Der Unterschied zwischen Brooks Brothers-Hemden und Ralph-Lauren-Hemden ist natürlich der, daß Ralph Lauren viel teurer ist, viel schlechter in der Verarbeitung, im Grunde scheiße aussieht und man dann noch meistens so ein blödes Polo-Emblem auf der linken Brust vor sich herumtragen muß.

Unten frage ich den alten Mann, von dem ich erst gedacht habe, er würde ein Landser-Heft lesen hinter seinem Rezeptionstisch, wo denn die jungen Leute abends hier so hingehen würden. Nicht die Langhaarigen, sage ich, sondern die Normalen. Er blickt auf, und da sehe ich, daß er nicht den Landser liest, sondern ein Heft über irgend etwas Christliches. Wachtturm heißt das Heft, glaube ich, und es ist so ein Regenbogen darauf abgebildet. Er legt seine Hände über das Heft, als er sieht, daß ich zu erkennen versuche, was es denn nun genau ist, und dann sagt er, die jungen Leute würden ins Fischers gehen, in die Tangente oder in die Max Bar. Ich bedanke mich ordentlich für die Auskunft und gehe zur Tür hinaus, auf die Straße.

Ich weiß nicht. Tangente, das klingt so wie Anfang der Achtziger, so mit Neon-Schrift und weißen Kacheln, und Fischers, das klingt wie ein Restaurant, das abends von Studenten als Bar benutzt wird. Da gehe ich lieber in die Max Bar. Da weiß man wenigstens nichts drüber, und der Name sagt ja schon, daß es nur eine Bar ist. Ich warte eine Weile, bis ein leeres Taxi kommt, und das halte ich dann auch an und sage, ich möchte bitte in die Max Bar. Unterwegs rauche ich eine Zigarette. Der Fahrer ist ein Rentner.

Ich weiß, das klingt jetzt komisch, aber ich sage das trotzdem mal: Ab einem bestimmten Alter sehen alle Deutschen aus wie komplette Nazis. Der Fahrer auch. Da muß man nur in bestimmte Orte fahren, wo sehr viele Rentner sind, dann kann man das sehen. In Badenweiler, zum Beispiel, oder überall an der Ostsee. Da laufen sie, diese Rentnerehepaare, über die Promenaden, entweder zum Strand hin oder zum Park, wenn es keinen Strand gibt. Auf jeden Fall laufen sie immer in Richtung Kurmuschel. Das ist wieder so ein Wort. Das glaubt man gar nicht, daß es so etwas gibt. Aber es stimmt tatsächlich: jeder Rentnerort hat eine Kurmuschel, genau wie jede

Stadt irgendwann so einen idiotischen Fernsehturm bekommen hat.

Dann stehen sie da, die Rentner, vor der Kurmuschel, und man sieht sie meistens nur von hinten, die Hände auf dem Rücken verschränkt, und sie wippen auf und ab auf ihren Fußballen, und sie haben alle überdimensionale Nasen und Ohren, weil ja die Nasen und Ohren im Alter immer weiterwachsen. Und diese Rentner waren alle mal früher blond, das schwöre ich.

Immer wenn ich Fotos sehe von früher, wie der und der blonde Mann aus einem Weiher herausgerannt kommt und die Sonne schon etwas tiefer steht, so daß das Schilfrohr so ein eigentümliches, über den Sepiaton dieses Fotos hinausgehendes Leuchten bekommt, wirklich ganz merkwürdig, dann frage ich mich immer, wie diese schönen Menschen es um Gottes willen denn fertigbringen, jetzt, fünfzig Jahre später, so erbärmlich auszusehen. Diese Welt-am-Sonntag-Leser in ihren Gabardinehosen mit der immerwährenden Bügelfalte, den in matten Farben gehaltenen Blousons, die viel zu großen Brillen mit Goldrand, die ihre riesigen pockigen Nasen und Ohren noch extra unterstreichen. Ich verstehe das nicht. Früher sahen sie nicht aus wie Nazis.

Dieser Rentner, den Karin auf Sylt fast überfahren hätte, der mit dem Cordhütchen, der sah sicher früher auch nicht aus wie ein Nazi. Und der Taxifahrer, der mich zur Max Bar bringt, der auch nicht. Dabei sieht man es ihm im Gesicht an, daß er einmal KZ-Aufseher gewesen ist oder so ein Frontschwein, der die Kameraden vors Kriegsgericht gebracht hat, wenn sie abends über den blöden Hitler Witze gemacht haben, oder daß er irgendein Beamter war, in einer hölzernen Schreibstube in

Mährisch-Ostrau, der durch seine Unterschrift an einem Frühjahrsmorgen siebzehn Partisanen, ihre Frauen und ihre Kinder liquidieren ließ. Daran muß ich denken.

Die Max Bar ist, wie soll ich das beschreiben, so eine Bar, in der gutgelaunte junge Heidelberger bedienen. Die Kellner und die Barleute wirken ein bißchen wie im Odin auf Sylt, denke ich, während ich mir ein Bier bestelle. Dann fällt mir ein, daß der Hund, der im Odin immer zwischen den Beinen der Gäste herumrennt, ja auch Max heißt, und während ich das zweite Bier trinke und mir die Bar genauer ansehe, muß ich daran denken, daß Matthias Horx, wenn man bestimmte Buchstaben wegläßt, ebenfalls Max heißt. Dann merke ich, daß ich furchtbar betrunken werde durch diese zwei Biere, weil so einen Unsinn, so Muster suchen, wo nun wirklich keine sind, sowas denke ich eigentlich nur im völligen Alkoholrausch, und dann fällt mir ein, daß ich außer diesen Pfirsich-Joghurts am Hamburger Flughafen seit Sylt nichts mehr gegessen habe. Ich habe aber auch überhaupt keinen Hunger, wirklich wahr. Deswegen werde ich aber so schnell betrunken, weil natürlich der Magen vollkommen leer ist.

Egal. Jetzt trinke ich einfach weiter. Ich kenne das schon. Da muß man durch. Ab und zu eine Zigarette rauchen, dann geht das schon in Ordnung. Es ist ganz schön laut da in der Bar. Es rauscht so ein bißchen in den Ohren, aber ich sitze in der Ecke und beobachte die Menschen, und das Rauschen ist nicht unangenehm, und ich werde langsam vollkommen betrunken. Zwei Tische weiter sitzt ein Haufen Studenten, und die verursachen eigentlich den meisten Lärm hier drinnen. Sie sind alle ganz ordentlich angezogen, und sie trinken Bier und lärmen herum.

Ab und zu steht einer auf und kaspert irgend etwas vor, irgendein albernes Gedicht oder sowas, was Studenten eben so machen, wenn sie betrunken sind.

Einer von ihnen hat ein braungebranntes Gesicht, und wenn er aufsteht und etwas sagt, dann sind die anderen still. Ich sehe ihn mir genau an, und er hat so einen weißen Rand an seinem Haaransatz, da an der Stirn, wo die Sonne nicht hingekommen ist. Er steht auf und trinkt einen Schluck Bier, und dann sagt er etwas vollkommen Unzusammenhängendes, aber er trägt es so vor, daß alle, wie gesagt, still sind und zuhören. Ich kriege mit, daß er Eugen heißt, und irgendwie muß ich wohl zu sehr hingestarrt haben, denn auf einmal sieht er herüber in meine Ecke, und er unterbricht sein Gefasel und kommt herübergeschwankt und fragt mich, ob ich mich nicht an seinen Tisch setzen will.

Mir ist das wahnsinnig peinlich. Ich weiß nicht, ob er das ironisch meint, aber anstatt zu sagen, ich würde auf jemanden warten, wie ich es sonst tun würde, sage ich ja, gerne. Ich nehme mein Glas in die Hand, und während wir zu seinem Tisch gehen, legt Eugen den Arm um meine Schulter und fragt mich, ob ich aus Heidelberg sei, weil er mich hier noch nie gesehen habe. Während ich nein sage, muß ich an Zwiebeln denken, ganze Bottiche voller eingelegter Zwiebeln. Ich habe absolut keinen Schimmer, warum. Er riecht nicht nach Zwiebeln aus dem Mund oder sowas. Wir setzen uns an seinen Tisch, und ich muß ein paar Hände schütteln von irgendwelchen Studenten, deren Namen ich mir nicht merken kann.

Alle sind sehr, sehr nett. Ich glaube, keiner meint es ironisch. Als ich mein Bier austrinke, kommt sofort ein neues. Vielleicht bin ich aber auch zu betrunken und nicht mehr vorsichtig genug. Vielleicht merke ich die Ironie einfach nur nicht. Jedenfalls schlagen alle irgendwann vor, zu einer Party zu fahren, und Eugen fragt mich, ob ich nicht mit will. Er sagt, ich solle mir mal keine Sorgen machen, die Leute, die die Party machen, das seien gute Freunde von ihm. Und dann klopft er mir auf die Schulter und lächelt, und ich sehe, daß er schneeweiße Zähne hat.

Ich gehe also mit Eugen mit. Ich denke in dem Moment noch, daß es eine gute Entscheidung ist. Ich habe ja Schwierigkeiten damit, neue Menschen kennenzulernen, deswegen freut es mich, einen Menschen kennenzulernen, der in Ordnung zu sein scheint. Das klingt jetzt wie eine Liebeserklärung an Eugen, das soll um Gottes willen nicht so klingen. Aber es ist wirklich so wahnsinnig schwierig, ordentliche Menschen kennenzulernen. Eugen hat ja ein gutes Jackett an, und er hat seinen Pullover um die Hüften gebunden, und er hat weiße Zähne. Ab und zu erzählt er einen Witz, und alle, mit denen wir auf diese Party gehen, lachen mit. Irgendwann stehen wir auf, und Eugen bezahlt alle Biere. Es waren mindestens dreißig.

Wir nehmen ein paar Taxis von einem Platz neben einem Kino. Während ich mit Menschen ins Taxi einsteige, die ich gar nicht kenne, sehe ich ganz kurz auf das Plakat in einer Glasvitrine, sehe mich selbst gespiegelt in der Vitrine und dahinter dann das Plakat für den Film, der gerade läuft: Stalingrad. Ich muß wieder an den alten Mann mit den acht Fingern im Hotel denken, und dann sehe ich mich, wie gesagt, gespiegelt in der Vitrine, mein Kopf trägt plötzlich einen Stahlhelm, und in diesem Moment denke ich, daß das alles auch mir hätte passieren können und noch viel schlimmer und daß ich wahnsinniges Glück habe, im demokratischen Deutschland zu leben, wo keiner an irgendeine Front muß mit siebzehn. Das ist natürlich SPD-Gewäsch, was ich da denke, aber ich bin schließlich auch höllisch betrunken.

Dann fährt das Taxi los, und da ich vorne sitze, weil ich, wie gesagt, keinen kenne, der da mit mir in dem Taxi sitzt, sehe ich mir den Taxifahrer an, aber ich bin irgendwie zu müde und zu faul und zu betrunken, um mir auszudenken, was das nun für einer ist. Auf jeden Fall hat er ganz schlimme Akne.

Ich sehe also aus dem Fenster, und ab und zu rollt mein Kopf so weg, weil ich so betrunken bin, und hinten gakkert dann das Mädchen, das dabei ist. Ich meine, sie sieht gar nicht mal schlecht aus. Sie ist auch irgendwie sexy, und wie sie da so kichert hinten, das klingt ganz gut. Draußen ist es noch hell, und ich sehe in den Himmel und in die Bäume, die so über dem Taxi entlangstreichen.

Der Himmel ist hier ganz anders. In Norddeutschland ist der Himmel riesengroß und er erdrückt einen fast. Manchmal fällt es einem schwer, unter einem norddeutschen Himmel gescheit zu atmen. Dann steht man da, auf dem flachen Land, und diese großen dunkelgrauen Wolken ziehen über einen weg, und dann bekommt man keine Luft mehr, so, als ob die Lungen das kommende Gewitter nicht ertragen könnten. Aber hier unten im Süden ist alles anders. Hier ist der Himmel ein Teil des Landes, ein Teil der Welt. Wenn es hier gewittert, dann ist das eben eine ganz ruhige und milde Sache, und nicht so ein Wagner-Nazigewitter wie da oben im Norden.

Die Taxen halten vor einem Haus in einer schattigen Seitenstraße. Alle springen raus, und da ich keinen kenne, zahle ich das Taxi, in dem ich gefahren bin, und laß mir von dem akneübersäten Fahrer eine Quittung ausstellen, die ich zerknülle und auf die Straße fallen lasse, sobald das Taxi weg ist.

Ich schwanke sehr beim Gehen, und plötzlich bilde ich mir merkwürdigerweise ein, ich hätte keine Schuhe mehr an, und ich muß daran denken, wie mir Alexander einmal einen Brief geschrieben hat über einen Kerl, den er in Kamerun kennengelernt hat. Das war einer, der es sich zur Aufgabe gemacht hat, barfuß um die Welt zu laufen. Alexander hat ihn in einer heruntergekommenen Bar in einem Vorort von Yaunde angefaselt, und es stellte sich heraus, daß er keine Schuhe trug, weil ihm dadurch die wichtigen Mineralien, die sich im Erdreich befinden, nicht verlorengehen.

Das muß man sich mal vorstellen: Der Kerl war tatsächlich davon überzeugt, er könne die Mineralien und Spurenelemente aus der Erde über die Füße in seinen Körper aufsaugen. Alexander hat erst noch gelacht, aber dann hat dieser Mensch so lange auf ihn eingeredet, bis er es auch versucht hat, barfuß zu laufen, meine ich. Die beiden, so schrieb es mir Alexander, sind dann volltrunken durch Yaunde gelaufen, beide barfuß, und haben die völlig verdutzten Slumbewohner angeschrien, sie sollten besser alle ihre Schuhe ausziehen, damit sie die Vitamine und Mineralien aufsaugen könnten, denn dann ginge es ihnen auch gleich nicht mehr so schlecht.

In dem Moment muß ich daran denken, daß Slumbewohner in Yaunde ja sowieso keine Schuhe haben und daß Alexander das erfunden haben muß, und ich frage mich, warum mir Alexander solche Geschichten auftischt und ob die ganzen anderen Sachen nicht vielleicht auch erfunden sind, das mit dem Modern-Talking-Lied in Pakistan oder Indien oder wo immer das war.

Das Haus, in dem die Party von Eugens Freunden stattfinden soll, ist sehr groß und leicht nach hinten versetzt, von der Straße weg. Also, erst muß man durch einen Garten gehen, dann kommen so ein paar Stufen, und dann geht man hinein. Drinnen ist es ziemlich kühl, weil das Haus ganz aus Stein ist.

Ich gehe als letzter hinein, den Leuten nach, und irgendwo läuft Musik. Keine unangenehme Musik, sondern so leichte Barmusik, so was Jazzartiges, das aber nicht jaulig ist oder trötig, sondern eben nur sehr angenehm. Ich komme nicht drauf, was es genau ist. Ich hab die Platte aber mal besessen, das weiß ich genau. Eugen, der vorhin in einem anderen Taxi gefahren ist, legt mir schon wieder den Arm um die Schulter und sagt, ich solle mich hier wohlfühlen, und dann fragt er mich, was ich denn trinken möchte. Bier steht da hinten, sagt er, und Sekt gibt es in der Küche. Ich bedanke mich und sage, ich hätte ganz gerne ein Bier. Ich bekomme sofort eins in die Hand gedrückt, ein offenes. Die Leute sind alle unheimlich freundlich zu mir, obwohl ich, wie gesagt, absolut niemand kenne.

Das freut mich natürlich, das macht mich extrem gut gelaunt. In solchen Momenten denke ich immer, ich bin extrem leicht zu ködern. Na ja. Ich trinke mein Bier aus der Flasche, stehe da auf der großen Treppe, und ab und zu kommen neue Gäste durch die Tür. Das ist wie auf jeder Party. Ein paarmal denke ich, jemanden zu erkennen, aber ich glaube, das bilde ich mir nur ein. Das Haus ist wirklich sehr schön. Es wirkt zwar leicht heruntergekommen, weil da sicherlich schon seit Jahren Studenten drinnen wohnen, aber es hat nicht diesen WG-Charakter, sondern es ist geräumig und freundlich und hell, und es ist so kühl hier drinnen, daß ich froh bin, daß ich über meinem Jackett noch die Barbourjacke angezogen hab.

Ich stehe also auf der Treppe und rauche erst einmal ein paar Zigaretten, und dann plaudere ich zuerst mit einem jungen Juristen, der ein hellgraues Fischgrät-Sakko trägt, über Jura, obwohl ich rein gar nichts davon verstehe und mich vermutlich auch nichts weniger auf der Welt interessiert. Danach rede ich mit dem Mädchen, das vorhin hinten im Taxi so sexy gekichert hat. Sie heißt Nadja und ist ziemlich angetrunken, und da ich auch schon meine dritte Bierflasche leer habe und davor wer weiß wieviel runtergeschüttet habe, bilde ich mir immer so halb ein, daß sie mir zuzwinkert beim Reden.

Während wir so ein bißchen über Heidelberg sprechen, stellt es sich heraus, daß sie denkt, ich würde hier studieren, und ich sage ihr nicht, daß ich in Wirklichkeit erst seit ein paar Stunden hier bin. Warum weiß ich auch nicht. Manchmal zupft sie mir an meiner Barbourjacke herum, und zwar an der etwas dunkleren Stelle, an der ich vorhin im Hotel den Eintracht-Frankfurt-Aufnäher abgerissen hab. Jetzt hängen da so Fäden herunter, und ab und zu zieht sie an einem dieser Fäden, so ganz nebenbei, scheinbar völlig gedankenlos. Das ist wirklich sehr charmant von ihr, wirklich wahr.

Ich beschließe, das Ganze mal zu prüfen, und setze mich auf die Treppe, und wirklich, sie setzt sich ebenfalls hin. Es funktioniert also. Meistens wende ich solche Tricks an, um zu sehen, wie weit die Menschen bereit sind, sich auf mich einzulassen. Und meistens funktioniert es auch. Also, Nadja schnattert und redet, und als ich sage, ich müsse mir noch ein Bier holen gehen, sagt sie, ich möchte ihr doch eines mitbringen aus der Küche, und sie würde dort auf der Treppe auf mich warten. Sie ist wirklich sehr nett, gerade weil sie auf eine erfrischende Art dumm ist. Ich meine, sie redet einfach so drauflos, ohne darüber nachzudenken, was sie sagt. Sie ist so unkompliziert. Nicht, daß ich kompliziert bin, aber es gibt so bestimmte, völlig ineinander verschachtelte Muster, die ich anwenden muß, um mit Menschen umzugehen. Na ja, Muster ist vielleicht nicht das richtige Wort. Ich kann das nicht genau beschreiben, was ich meine. Es ist wie so ein Rädchen, das sich dreht, und wenn das richtige Gegenstück auf einem anderen Rädchen gefunden ist, dann rastet das erste Rädchen ein, und es kann losgehen. Das Ganze kann man, glaube ich, sich ein bißchen wie in einem Trickfilm vorstellen.

Während ich aus der Küche ein Bier für mich und eines für Nadja hole, klopft mir Eugen auf die Schulter. Er hat wirklich sehr blonde Haare, und jetzt sehe ich erst, daß er einen Schmiß auf der linken Wange hat, und während er irgendeine Platitüde erzählt, starre ich die ganze Zeit da drauf, auf die Narbe in seinem Gesicht. Er lehnt am Kühlschrank und redet, aber ich kann gar nicht zuhören, nur auf diese komische Narbe starren, und dann reiße ich mich zusammen und entschuldige mich und gehe mit den zwei Bieren in der Hand wieder in die Eingangshalle.

Eugen kommt mir tatsächlich nach. Ich zünde mir schnell eine Zigarette an und suche Nadja, die nicht mehr auf der Treppe sitzt, und plötzlich faßt er mir an den Nakken. Er ist mit seinem Gesicht ziemlich nahe an meinem dran, viel näher, als mir lieb ist, und ich rieche seinen Bieratem, und ich sehe, daß er sich um seinen Adamsapfel, der auf und ab hüpft, während er auf mich einredet, nicht richtig rasiert hat. Da sind so kleine schwarze Borsten dran.

Dieser Mensch ist wirklich sehr aufdringlich, aber ich habe trotzdem das Gefühl, ich müsse höflich sein, weil ja alle so verdammt freundlich sind, und Eugen, dessen Schmiß immer größer wird, wobei ich gar nicht weiß, wieso ich diese Narbe vorhin nicht gesehen habe, will mir ja nur etwas erzählen. Ich lächele und nicke und ziehe an meiner Zigarette. Wo ist nur dieses Mädchen Nadja geblieben? Jetzt sagt Eugen, er will mir etwas zeigen. Er nimmt mich am Arm und dirigiert mich die Treppe hoch, und während wir in den ersten Stock gehen, redet er ohne Unterbrechung auf mich ein.

Er bringt mich in ein Zimmer, und während er die Tür schließt, trinke ich schnell einen großen Schluck Bier. Das Zimmer ist offensichtlich seins, weil er sich ziemlich gut auskennt, und auch so tut, als ob es seins wär. Ich habe das Gefühl, er faßt extra so Sachen an, um zu zeigen, daß er hier zu Hause ist.

Auf einem Sofa in der Ecke sitzen ein Mädchen und ein älterer Mann, und die beiden küssen sich. Na ja, alt ist vielleicht zuviel gesagt, aber vierzig ist der Mann schon. Er hat seine Hand unter ihren Pullover geschoben, und er fummelt da an ihr herum, und die beiden hören auch nicht auf, als Eugen und ich hereinkommen. Aus einem Lautsprecher kommt so eine Klaviersonate von Mozart oder Beethoven. Ich kenne mich nicht so genau aus mit klassischer Musik. Die beiden befummeln sich immer noch. Mir gefällt das Ganze überhaupt nicht, und ich habe das allerdringendste Verlangen, aus dem Zimmer zu gehen und wieder nach unten, ich tue es aber nicht, aus Höflichkeit. Das ist ganz schön dumm von mir, aber ich bin nun einmal ein höflicher Mensch, da kann man meistens nichts machen.

Jetzt nimmt Eugen die Hülle einer Mozart-CD, legt sie auf den Tisch neben dem Sofa, zieht aus seiner Jackett-Tasche ein paar gefaltete Stückchen Papier, und dann schüttet er aus den Papierstückchen einen großen Haufen Koks auf die CD-Hülle. Während ich mir noch eine Zigarette anzünde und er die ganze Zeit redet, nimmt er so ein kleines silbernes Röhrchen und fährt damit mitten in den Kokshaufen rein und zieht sich eine ganze Menge in die Nase. Dann zieht er die Nase hoch und grinst und hält mir das Röhrchen hin.

Ich stehe auf und sage nein, danke. Das Paar auf dem Sofa fängt an zu kichern, und ich merke, wie die Musik immer lauter wird und Eugen mich am Arm faßt und sagt, ich solle doch nur mal probieren, da würde schon nichts passieren. Ich sage, es täte mir leid, ich würde prinzipiell keine Drogen nehmen, und ich müsse jetzt nach unten gehen, da würde jemand auf mich warten, und dann greift Eugen vorne an meinen Hosenbund und legt seine andere Hand auf meinen Hintern. Das Paar auf dem Sofa hat jetzt aufgehört zu knutschen, und beide kichern wie verrückt, und in diesem Moment sehe ich nur den Schmiß und das blonde, etwas längere Haar dieses Menschen, und ich fühle, wie er an meinem Hintern herumnestelt und tatsächlich, ich lüge nicht, wie er versucht, mir durch meine Hose hindurch seinen Finger in den Hintern zu stecken.

Er ist ziemlich kräftig, und als ich mich losmache, rutscht seine Hand vorne ab, und er hält mich am Knie fest, und ich falle rückwärts hin. Ich stehe schnell auf, stammele irgend etwas und laufe zur Zimmertür hinaus. Aus dem Zimmer kommen jetzt so prustende Lacher. Auf der Treppe nach unten merke ich, wie meine Knie schon wieder zittern. Ich gucke über meine Schulter, aber Eugen kommt mir zum Glück nicht nach, und ich gehe in die Küche und trinke einen großen Schluck lauwarmen Gin aus einer Flasche, die dort auf dem Tisch steht.

Ich kann Nadja nirgends sehen, und auf einmal fühle ich mich sehr allein auf dieser Party, und sehr bedroht. Ich beschließe, jetzt erstmal diese Nadja suchen zu gehen. In der Küche ist sie nicht und auf der Treppe eben war sie auch nicht. Während ich mich umsehe, rauche ich eine Zigarette, und ich merke, daß ich ganz furchtbar betrunken bin. Das merke ich immer daran, daß die Zigarette den Trunkenheitsgrad noch verstärkt und daß mein Kopf anfängt, hin- und herzuschwingen, so, als ob das Kreiselzentrum im Gehirn keinen Halt mehr finden würde. Mir ist schlecht.

Eugen ist zum Glück völlig verschwunden, und ich frage einige Studenten, die an der Wand lehnen und Bier trinken, ob sie denn Nadja gesehen hätten, aber keiner weiß etwas. Sie scheinen Nadja auch gar nicht zu kennen. Ich überlege, daß sie mir vielleicht einen falschen Namen gesagt haben könnte, aber noch im gleichen Augenblick denke ich: Warum sollte sie denn so etwas tun?

Ich fühle mich scheiße. Mein Gott, fühle ich mich scheiße. Aber es kommt noch schlimmer: Neben der Küche steht eine Tür offen, eine Kellertür, und aus irgendeinem Grund gehe ich hinunter, die Treppen hinab. Hier unten ist es noch viel kälter als oben, und es ist feucht, und die Luft riecht modrig.

In der Ecke des Kellers, neben einer Kiste mit Weinflaschen, liegt Nadja. Sie stützt sich mit einer Hand auf die Kiste, und mit der anderen Hand hält sie eine Spritze fest. Die Spritze steckt in ihrem Knöchel, knapp oberhalb des Schuhs. Neben ihr liegt Nigel. Er hat den rechten Arm mit einem Ledergürtel abgebunden, und aus einer kleinen Wunde in seiner Armbeuge rinnt ein dünner Streifen Blut.

Das glaube ich einfach nicht. Ich habe das Gefühl, als würde ich innerlich vollkommen ausrasten, als ob ich völlig den Halt verliere. So, als ob es gar kein Zentrum mehr gäbe. Nigel, rufe ich. Scheiße. Nigel. Er antwortet nicht. Ich frage ihn, ob er mich denn verdammt nochmal nicht kennt. Und er sagt, das sagt er wirklich: Sollten wir uns denn kennen?

Dann lächelt er und verdreht die Augen, so, daß nur noch das Weiße zu sehen ist, und dann kriegt er so einen Ausdruck vollkommener Zufriedenheit im Gesicht, und dann sackt sein Kopf nach vorne, und die Haare fallen ihm in die Stirn. Auf seiner beigen Hose ist ein bißchen Kotze. Nadja zieht sich die Nadel aus dem Knöchel, sieht dann hoch und fängt an zu wimmern, aber sie sieht mich auch nicht. Im Inneren der Spritze, die sie in der Hand hält, schlängelt sich ein ganz dünner roter Faden durch die helle Flüssigkeit.

Ich mache die Augen zu und laufe die Kellertreppe hoch, falle dabei ein paarmal hin und schürfe mir die Knie auf. Ich mache die Augen einfach nicht mehr auf. Oben, in der Halle, läuft weiter diese ruhige Jazzmusik. Stan Getz fällt mir in diesem Moment ein, das ist Stan Getz. Da gab es mal eine CD, mit Astrud Gilberto. Walkman-Jazz hieß die. Oder war das eine Kassette? Gab es da überhaupt schon CDs? Auf dem Weg zur Tür stoße ich ein paar Bierflaschen um, weil ich ja noch die Augen zu habe, und sie zersplittern auf dem Fußboden, und irgend jemand ruft mir noch etwas hinterher, und dann lacht jemand, und wie ich draußen bin, vor der Tür, wird alles ganz gelb, obwohl ich doch die Augen zu hab, und dann falle ich ziemlich schnell in Ohnmacht.

In dem Moment, in dem ich falle, denke ich nicht mehr an Nigel oder an Nadja. Ich denke daran, daß ich nicht weiß, wie das in den kommenden Jahren sein wird. Sonst war immer alles überschaubar. Aber jetzt weiß ich einfach nicht, was da kommt. Ob es so weitergeht mit den bunten Trainingsanzügen, mit lila, hellgrün und schwarz? Das tragen sie alle im Osten, und die Menschen dort sind geduldiger, stiller und auch sehr viel schöner. Vielleicht wird der Osten den Westen überrollen mit seiner Ruhe und seinen Trainingsanzügen. Das wäre beruhigend, muß ich denken, wirklich sehr beruhigend, denn ein lilafarbener Ost-Mensch ist mir immer noch eine Million mal lieber als so ein Understatement-West-Mensch, der irgendwo in einer Einkaufspassage Austern schlürft. Und die großen ungewaschenen Massen aus dem Osten, aus Moldawien, aus der Ukraine, aus Weißrußland, sie werden kommen. Soviel ist sicher.

SECHS

Wie ich genau aus Heidelberg rausgekommen und schließlich in München gelandet bin, das ist mir immer noch ein Rätsel. Einen Zug werde ich wohl genommen haben, aber diese Reise ist ausgelöscht in meinem Gehirn, einfach nicht mehr da. Im Zug muß ich wohl mit jungen Leuten gesessen haben, die zu einem Rave wollten, auf einer Wiese etwas außerhalb von München. Ich schätze, ich habe ihnen ein Taxi ausgegeben, vom Bahnhof zur Wiese.

Jedenfalls sitze ich auf dieser Wiese, in der Nähe eines pyramidenförmigen Zeltes. Um mich herum sind Hunderte von jungen Menschen, vielleicht sogar tausend oder noch mehr. Sie sehen alle nicht besonders schlau aus, und ich schätze, die meisten haben irgendwelche Drogen genommen.

Da hinten gibt es eine Tanzfläche. Einige große Boxen sind angeschlossen worden und ein Stroboskop auch. Ein Schwarzlicht leuchtet und taucht alles in dieses komische, nicht wirklich existierende Licht. Zähne, weiße Hemden, Jeans, alles leuchtet aus sich heraus, und doch wird es angestrahlt. Nur das Licht selbst, das sieht man eben nicht.

Ich sitze also auf der Wiese und Rollo sitzt neben mir, und wir beobachten die Menschen. Rollo ist ein alter Freund von mir. Jetzt, in diesem Moment, fällt mir alles wieder ein: Rollo stand in Heidelberg plötzlich über mir, im Garten dieses Hauses. Er war auch auf der Party, und er hat mich herauslaufen und in Ohnmacht fallen sehen, und dann stand er über mir und schlug mir immer wieder ins Gesicht. Er hat mich wachgekriegt, dann hat er mich hochgezogen und in sein Auto gesteckt, und zusammen sind wir nach München gefahren. Deswegen habe ich immer Leute wiedererkannt, da in Heidelberg.

Ich habe auf dem Beifahrersitz die ganze Zeit geschlafen, Rollo muß derweil wie ein Irrer über die Autobahn gerast sein, weil es noch nicht viel später ist. Ich glaube fast, er hat mich vor irgend etwas gerettet, aber ich bedanke mich nicht bei ihm, weil das ziemlich peinlich wäre. Ich meine, er hat es ja getan, da muß man keine großen Worte drüber verlieren.

Rollo kommt vom Bodensee, und ich habe ihn damals kennengelernt, kurz bevor ich aus Salem rausgeschmissen wurde. Jetzt wohnt er hier in München, und ab und zu geht er auf Raves, um sich zu amüsieren. Wie gut, daß er auch auf dieser schrecklichen Party in Heidelberg war. Ich weiß gar nicht, wie ich da drauf gekommen bin, daß ich mit dem Zug gekommen sein soll. So ein Unsinn.

Wir trinken jeder ein langweilig schmeckendes Bier. Weil wir ordentliche Kleidung tragen, also keine Techno-Stiefel und orangefarbene T-Shirts und Bundeswehr-Hosen, und weil wir keine rasierten Schädel haben und keinen Ring in der Nase und irgendwelche tätowierte Drachen auf dem Nacken, werden wir pausenlos gemustert und prüfend von der Seite angesehen. Das ist aber eigentlich ganz lustig, daß man so durch Erscheinen provozieren kann, und Rollo meint, die Irren hier würden denken, wir seien vom Drogendezernat. Ab und zu kommen irgendwelche Hippies in bestickten Lammfellwestchen auf uns zu und bieten uns Tee an. Chai, wie sie sagen. Ich finde das alles extrem amüsant. Hier ist ein ganzer Haufen Menschen, die man überhaupt nicht ernst nehmen kann, aber auf eine bestimmte Art haben sie alle recht, viel mehr recht als Rollo oder ich.

Ich weiß nur noch nicht, auf welche Weise sie recht haben. Vielleicht sind wir ja auch schon zu alt, aber im gleichen Moment denke ich, daß es hier Leute gibt, die über vierzig sind. Sogar Mütter mit ihren blöden Kindern laufen herum.

Einer der Hippies setzt sich nach einer Weile zu uns. Wahrscheinlich hat er erkannt, daß wir doch keine Drogenfahnder sind und ihn nicht verhaften oder filzen werden, wenn er sein kleines Silberdöschen öffnet, das ihm an einem verwarzten Lederbändsel um den Hals hängt.

Eigentlich ist er auch gar kein Hippie. Ich meine, er trägt zwar Ohrringe, eine Jeansweste, eine Cordhose und keine Schuhe, nur ein paar alte, durchlöcherte Socken, aber ein richtiger Hippie ist er nicht, nur so ein halber. Schließlich hat er sich ja auch den Schädel rasiert, damit er nicht für einen Langhaarigen gehalten wird. Er erzählt von irgendwelchen DJs, von Moby, von DJ Hell hier aus München und von Moritz, der aus dem Purgatory in Hamburg, der den besten Intelligent Techno in Deutschland auflegt, was immer das auch sein soll. Er plappert einfach drauflos, und weil er so freundlich ist, können Rollo und ich im Grunde gar nichts dagegen sagen.

Er erzählt davon, daß Felix und David in diesem Purgatory in Hamburg mit roter Farbe so einen Satz an die Decke gepinselt haben und daß er jedesmal ausrastet, wenn er das liest. Dieser Satz, erklärt er, lautet ungelogen: Die reine Wahrheit. Schon ein bißchen traurig, wenn das ein Satz ist, der bei einem so viel auslöst, denke ich, aber Rollo meint, er könne das ganz gut nachvollziehen. Rollo ist schon ein harter Zyniker.

Der Hippie redet eine Weile, und dann verschwindet er kurz, um etwas zu holen, wie er sagt. Ich rauche eine Zigarette und Rollo und ich reden miteinander, und dann kommt er mit einem Rucksack zurück. Das Seltsame daran ist, daß der Rucksack aussieht wie ein Stofftier. Er herzt tatsächlich den Rucksack, drückt ihn an sich und hält ihn uns dann hin, wir sollen doch mal fühlen. Der Rucksack würde sich ganz toll anfühlen und ganz weich. Ich meine, der blöde Sack hat tatsächlich Ohren an der Seite, so große Schlappohren wie ein Hase, und er ist ganz mit plüschigem Kunstfell überzogen, in so schmutzigem Beige.

Rollo und ich sehen uns an. Wir halten beide ganz kurz den Rucksack, und Rollo streichelt ihn sogar ein paarmal. Der Hippie lächelt uns an, und dann holt er aus seiner Hosentasche ein paar Pillen, hält uns jedem eine hin und sagt, hier habt ihr.

Rollo, souverän, wie er ist, kramt aus seiner Jackett-Tasche zwei Valium hervor, hält sie dem Hippie hin und sagt ihm, er solle lieber mal diese probieren, die seien viel besser. Der Kerl nimmt sich die Valium und schiebt sie sich in den Mund, ohne drauf zu schauen. Das ist wirklich unglaublich komisch. Rollo und ich tun so, als würden wir die Pillen des Hippies in den Mund stecken. Ich erzähle Rollo nicht, daß ich vorgestern in Hamburg schon wirklich so ein Ding gegessen habe.

Die Musik auf der Tanzfläche ist recht laut. Hinter uns, in dem Pyramidenzelt, läuft leisere Musik, auch nicht mit so einem Stampfbeat, sondern eher sphärisch. Es klingt nach Andreas Vollenweider oder nach der Musik aus diesem Film Koyaanisqatsi, den ich neulich im Fernsehen gesehen habe. Nach einer halben Stunde habe ich wieder abgeschaltet, weil der Film so unerträglich war. Ich meine, da passierte überhaupt nichts. Die Kamera ist über so Landschaften rübergefahren, und alles lief beschleunigt ab, und im Grunde war der Film nichts anderes als ein ellenlanges, endlos dröges Musikvideo. Kaum zu glauben, daß sich jemand im Ernst so etwas zwei Stunden lang ansieht. Vielleicht ja Alexander, zusammen mit seiner Varna.

Also, wir stehen auf, und der Hippie sagt, er würde jetzt tanzen gehen, und wir sagen, viel Spaß dabei, wir würden derweil ein bißchen herumgehen. Der Typ läuft zur Tanzfläche hinüber. Ich bin mir sicher, daß wir den heute nacht nochmal irgendwo sehen werden.

Das Ganze ist schon ziemlich merkwürdig. Alles ist auf so eine bestimmte Art mittelalterlich. Ein paar Durchgedrehte laufen auf Stelzen herum, ihre Köpfe drei Meter über der Erde. Der eine ist ganz in Schwarz, mit einer schwarzen Kapuze, und der andere hat ein rotes, langes Gewand an. Sein Gesicht ist mit roter Farbe verschmiert, und auch er trägt eine Kapuze. Zwischendurch beugen sie sich immer herunter und verteilen an die Menschen Papierblumen. Wenn man die Augen zusammenkneift, dann sieht es ein bißchen so aus, als ob der eine Stelzenmann der Tod wäre und der andere der Teufel. Oder Pest und Cholera. Und die Papierblumen, die sie den Menschen unter ihnen in die Hand drücken, das wäre dann der Seuchenherd.

Jetzt, wo ich es mir überlege, sieht alles hier auf dem Rave aus wie auf einem Gemälde, das ich mal in Spanien im Museum gesehen habe. Das war Der Garten der Lüste von Hieronymus Bosch. Ich mag Bilder in Museen gar nicht so gerne, aber dieses fand ich wirklich umwerfend. Da gab es eine ganze Menge Dinge drauf, zum Beispiel

Menschen in so Kugeln, die herumschweben, jede Menge Nonnen, Liebespaare und andere Menschen, denen erst die Hand abgehackt und dann die Zunge abgeschnitten wird, bevor sie in die Hölle gestürzt werden.

So habe ich mir das Mittelalter immer vorgestellt, daß es überall so aussieht, besonders in dieser Norddeutschen Tiefebene, die von den Kasseler Bergen bis Flandern reicht. Das Mittelalter ist für mich immer westeuropäisch. Diese ganzen Grausamkeiten, die haben im Osten alle nicht stattgefunden. Ich meine, wenn ich mir einen blutroten Horizont ausmale, mit so großen Rädern, die sich gegen den Himmel schwarz abzeichnen, und auf diesen Rädern liegen die Gefolterten, und über ihnen sausen die Krähen umher, dann ist das immer irgendwo bei Lüttich oder Aachen oder bei Gent. Das Mittelalter ist nie in Warschau oder bei Wien. Diesen hellen Himmel gibt es ja nicht im Osten, dieses fahle Licht, das ist schon etwas Deutsches.

Ich will mit Rollo darüber reden, aber ich glaube nicht, daß er sich dafür interessiert, und deswegen sage ich nichts. Er wippt tatsächlich mit dem Fuß zu dieser Technomusik. Ich meine, das Gestampfe der Tanzenden hat ja auch etwas von diesen mittelalterlichen Büßern und Flagellanten und Selbstansteckern an sich. Das hat alles immer nur eine Geschwindigkeit, aber die ist so absolut, daß es außerhalb dieser Welt nichts gibt.

Na ja, ich sage das nur, weil Alexander mir mal geschrieben hat, ein Rave in Deutschland sei immer das heutige Pendant für etwas, das er Ragnarök genannt hat. Das sei so ein germanisches Endzeit-Ereignis. Sagt er. Ich habe da noch gar nicht drüber nachgedacht, aber das stimmt natürlich hundertprozentig.

Rollo und ich trinken unser Bier aus. Wir haben keine Lust mehr, hier zu sitzen und die Menschen zu beobachten. Wir stehen also auf, und Rollo läuft auf einen Typen zu, der aussieht wie dieser blöde Kurt Cobain, komplett mit blonden langen Haaren und Pyjama. Ich gehe Rollo nach. Der Cobain-Mensch ist völlig weggetreten. Ich verstehe gar nicht, warum Rollo überhaupt mit dem redet, und dann sehe ich, wie Rollo, während er auf ihn einredet, ihm die zwei Pillen von dem Glatzen-Hippie vorhin in seinen Pappbecher mit Chai hineinbugsiert, ohne daß der es merkt. Das ist natürlich grandios.

Dann gehen wir zu Rollos Auto. Unterwegs sehen wir tatsächlich diesen einen Hippie, den mit dem rasierten Schädel und den Socken mit den Löchern vorne. Er liegt mit offenem Mund auf der Wiese neben einem geparkten Auto und schläft den tiefen Valium-Schlaf. Seinen Kunstfellrucksack hält er ganz fest an sich gedrückt. Rollo grinst und meint: Da hat er sie jetzt, seine reine Wahrheit. Ich denke, daß es vielleicht doch kein so guter Streich ist, weil vielleicht wacht der gar nicht mehr auf. Ich glaube manchmal, Rollo hat eine ziemlich bösartige Ader.

Er schließt seinen beigen Porsche auf, und wir steigen ein. Das ist so ein 912er aus dem Jahr 1966, und es ist zwar ein Porsche, also im Grunde völlig indiskutabel, dafür aber das schönste Auto auf der Parkwiese. Innen drin sieht es überhaupt nicht porschlochartig aus, sondern wie in einem VW-Käfer. Das Leder der Sitze ist zerschlissen, und alles hat dieses Halbfertige, diese Holprigkeit, die es heutzutage in Autos überhaupt nicht mehr gibt.

Ich zünde mir eine Zigarette an, drehe das Fenster herunter, und dann fahren wir los, über die Wiese, zurück auf die Straße und auf die Autobahn, nach München hinein.

Es ist schon ein Uhr nachts, deswegen fahren wir zuerst ins Schumanns, laufen aber nach fünf Minuten wieder heraus, weil in der einen Ecke Maxim Biller wieder einen seiner Salons abhält, während in der anderen Ecke der Chefredakteur dieser grandiosen Zeitschrift Quick über einer Flasche Single Malt zusammengebrochen ist. Seitdem es die Quick nicht mehr gibt, trinkt er nur noch, ununterbrochen.

Dann lieber gleich ins Ksar. Das Ksar ist so eine Bar in der Innenstadt, in der meistens einigermaßen erträgliche Menschen herumsitzen und Bier trinken. Ich war erst einmal dort, und es hat mir überhaupt nicht gefallen, und ich habe mich dort sehr betrunken. Das war zu der Zeit, als ich immer noch gerne und freiwillig ins P1 gegangen bin.

Wir stehen also im Ksar und plaudern, trinken Bier und so, und plötzlich sehe ich in der Ecke diesen einen Menschen sitzen und auf jemanden einschreien. Es ist Uwe Kopf, dieser Kolumnist, oder was auch immer er ist. Er hat eine Vollglatze, und das paßt ja auch ganz gut zu ihm, weil er ein ziemlich harter Nazi ist.

Ich habe gehört, daß er im fränkischen Wald so eine homosexuelle Wehrsportgruppe hat, die den ganzen Tag mit Platzpatronen herumschießt und mit Kübelwagen herumfährt, und dann abends auf einer Waldhütte werden die jungen Neuzugänge von den Alten ordentlich eingewiesen in die Feinheiten des Nationalsozialismus.

Dieser Mensch sitzt also da in der Ecke, und weil ich einmal mit ihm geredet habe auf einer Party, auf der gleichen übrigens, auf der er mir ein Sturmfeuerzeug an die Stirn geworfen hat, denke ich, ich sollte mal lieber nicht in diesen Teil des Ksars gehen.

Ich schnappe mir also mein Bier und gehe in die Eßecke. Rollo redet sowieso mit jemand anderem. Dazu muß ich erklären, daß es nur in München in den Bars diese Eßecken gibt. Ich weiß auch nicht, wie diese Orte in Wirklichkeit heißen. Dort gibt es Zigaretten, aber nicht in Automaten wie in Hamburg oder in Frankfurt, sondern direkt von einer Person, die den ganzen Abend dort steht und die Schachteln verkauft. Na ja, und nicht nur Zigaretten gibt es, sondern auch eine riesengroße Auswahl an Gummibären und Vampiren, an Schlangen und Fröschen, die mit dem weißen Bauch, der immer weicher ist und schlechter schmeckt als das grüne Obenherum.

Hinter der Verkaufstheke, die in diesem kleinen Zimmerchen untergebracht ist, steht Hannah. Vor sich hat sie ganze Kübel mit Süßigkeiten, Zigaretten, selbstgeschmierten Broten und Tüten mit verschiedenen Chips. Hannah ist wirklich eine Schönheit, obwohl sie ihre Augenbrauen so zurechtzupft, daß über ihren Augen nur noch ein ganz dünner Strich steht.

Ich glaube, sie erkennt mich nicht mehr, obwohl wir früher im P1 öfter miteinander geredet haben. Ich würde gerne mit ihr sprechen, schon weil ich dann in dem kleinen Zimmerchen bleiben könnte und nicht in die Gefahr kommen würde, von Uwe Kopf dort im Hauptraum der Bar erkannt zu werden. Denn eins ist sicher: Dieser Mensch ist wirklich sehr gewalttätig.

Hannah beachtet mich überhaupt nicht. Aber es macht Freude, ihr zuzusehen. Wie sie dem einen oder dem anderen, den sie kennt, heimlich ein paar von den Bonbonschlangen zuschiebt, ohne daß sie was bezahlen müssen, das ist schon ziemlich charmant.

Ich überlege, wie ich sie am besten ansprechen könnte.

Aber eigentlich will ich das auch gar nicht. Ich will nur hier stehen und ihr zusehen, wie sie herumhantiert mit ihren Waren, wie ihre dünnen kleinen Finger mit den abgebissenen Fingernägeln das Geld nehmen für die Bonbons, wie sie jeden anlächelt, auch die Blöden und die Arschlöcher und die Aufdringlichen. Besonders die. Hannah ist so gut und so fein zu denen, daß es mir fast weh tut. Ich zünde mir eine Zigarette an und halte das Feuer am Streichholz so, daß mein Gesicht erhellt wird. Aber sie sieht mich immer noch nicht.

Ich schaue ihr noch eine Weile zu, und dann kommt Rollo und meint, er hätte mich schon gesucht. Er flattert so merkwürdig mit den Augenlidern, das habe ich erst bei einer Person gesehen, so etwas. Das war Ona, und dieses Mädchen flatterte immer hektisch mit den Augenlidern, wenn sie sich unter Druck fühlte. Aber Rollo fühlt sich ja nicht unter Druck. Er erzählt irgend etwas von einer Bierschwemme, was immer damit gemeint ist. Manchmal verstehe ich Rollo wirklich nicht. Dann geht er auf Hannah zu und drückt ihr einen Kuß auf die rechte Wange und einen auf die linke, und in dem Moment entsteht hinter mir in der Bar ein Tumult.

Ein Mann schreit irgendwas von seinem Ohr, und ich denke noch, das hat sicher was mit diesem Uwe Kopf zu tun. Der wird sicher einem ein Sturmfeuerzeug an die Stirn geworfen haben, der viel größer ist als er, und jetzt gibt es richtig Ärger.

Rollo meint, daß Bars, in denen sich derart geprügelt wird, wirklich nichts für einen denkenden Menschen sind, und ich sage, ja, stimmt, obwohl ich wirklich gerne gesehen hätte, wie dieser Uwe Kopf einen vor den Latz bekommt. Wir nehmen unsere Jacketts, Rollo winkt der

Hannah, und dann gehen wir durch die braune Tür nach draußen.

Wir steigen in den Wagen und fahren zu Rollo in die Wohnung. Unterwegs esse ich eins von den grünen Gummitieren, die Rollo bei Hannah hat mitgehen lassen. Es schmeckt furchtbar süß, und es klebt an den Zähnen. Ich drehe das Fenster herunter und werfe das angebissene Tier hinaus auf die Straße. Dann rauche ich eine Zigarette.

Rollos Wohnung ist in Bogenhausen und sie ist riesengroß. Ich glaube, er hat mindestens neun Zimmer. Immer, wenn man denkt, man habe alle gesehen, dann tut sich irgendwo noch eins auf. An den Wänden hängen Landschaftsgemälde aus dem neunzehnten Jahrhundert, und überall stehen Möbel herum, die gar nicht zueinander passen. Zum Beispiel hat er so eine chinesische Opiumliege, die offensichtlich für zwei Personen gemacht worden ist, und da liegt er immer drauf und liest Thriller von Ken Follett und John le Carré. Andere Bücher liest er nicht, aber nicht etwa, weil er dumm ist, sondern weil ihn einfach nur Thriller und Agentenromane interessieren.

Diese chinesische Opiumliege, so erzählt Rollo, ist aus Tsing Tao, das früher Tschingdau hieß und zu Deutschland gehörte. Sein Urgroßvater war ein hoher Beamter in der dortigen Administration, und vorher war er auf irgendwelchen Inseln im Pazifik, die auch einmal deutsch waren. Bismarckinseln hießen die, glaube ich. Na ja, und diese Liege, da hat eben schon Rollos Urgroßvater drauf gelegen, und ich denke daran, wie er wohl aussah, und ob er jeden Tag einen weißen Anzug getragen haben mag, und daran, wie oft am Tag der Mann sein Hemd wechseln mußte, wegen der Hitze. Ich frage mich, ob er einsam war oder ein Partylöwe, oder vielleicht hat er ganz schlechte Gedichte geschrieben, oder er war grausam zu seinen chinesischen Angestellten.

Auf jeden Fall kann ich mir das gut vorstellen, besonders, wenn ich die Augen zusammenkneife und dann Rollos Bild, wie er auf der Liege in München-Bogenhausen liegt, sich langsam überschneidet in meinem Gehirn mit dem Bild seines Urgroßvaters, der irgendwo im riesigen deutschen Kolonialreich gestorben ist, in einem Sumpf, an schwerem Fieber.

Dann denke ich daran, wie gut es wäre, solche Dinge zu besitzen wie diese Liege, an der man alles festmachen kann, an deren Holz man sehen kann, wie alles seinen festen Platz hat in der Welt. Aber im Grunde wäre es doch nur eine Belastung.

Also, Rollo sitzt auf seiner Opiumliege, und dann erzählt er mir von seiner Party, die er morgen in Meersburg haben wird, seine Geburtstagsparty. Mir ist das sofort peinlich, weil ich nichts davon gewußt habe, daß er Geburtstag hat, meine ich. Schließlich habe ich ihn auf diesem Rave da draußen nur zufällig getroffen. Aber Rollo wäre nicht Rollo, nicht der beste Gastgeber der Welt, würde er jetzt nicht eine Million Beschwichtigungssätze loslassen und sagen, nein, es ist schon alles in Ordnung, ich freue mich sehr, daß du dabei sein kannst, und morgen mittag fahren wir zusammen in meinem Auto da hinunter, an den Bodensee.

Dann machen wir den Fernseher an, und da nichts kommt, weil es ja schon ziemlich spät ist, zeigt mir Rollo ein Zimmer, wo ich schlafen kann. Ich ziehe mich aus und lege mich aufs Bett, und weil ich nicht einschlafen kann, hole ich mir ein Glas Wasser aus der Küche.

Auf dem Weg zurück in mein Zimmer blicke ich durch den Spalt in Rollos Tür, und ich sehe, daß er immer noch auf der Opiumliege sitzt und ein Buch liest. Ich kann nicht erkennen, was es ist. John le Carré vielleicht. Er bemerkt mich nicht, und ich gehe zurück in mein Zimmer, und dann schlafe ich ein.

SIEBEN

Also, während wir auf dieser endlosen deutschen Autobahn nach Lindau fahren, auf dem Weg nach Friedrichshafen, und es hier natürlich schon richtig Sommer ist, ich meine, links und rechts blühen die Apfelbäume und die Wiesen, und die Felder haben dieses satte Grün und Gelb angenommen, so, daß es eigentlich fast schon wieder zuviel ist, erzählt mir Rollo von Berliner Autonomen, die in Frankfurt gebrauchte Fiat Unos kaufen, diese dann mit der Fähre nach Nordafrika verschiffen, um sie quer durch die Sahara bis nach Douala zu fahren, das liegt an der Küste von Kamerun, und sie dann dort für das Fünffache zu verkaufen, na jedenfalls, und jetzt komme ich darauf, werden die Autonomen immer mitten in der Sahara erschossen aufgefunden, ohne Auto natürlich.

Irgendein Nomadenvolk, Tuareg oder Polisario-Guerillakämpfer oder was auch immer, lauert denen auf, da unten. Sie versperren die Straße mit Benzinfässern, erschießen dann die Autonomen, wenn sie so dumm sind und anhalten, und dann nehmen sie die Autos einfach mit. Mehrere Male sei das schon passiert, erzählt Rollo, und in dem Moment, als ich mir das vorstelle, weiß ich nicht, was komischer ist, die toten Autonomen mit ihren verfilzten lila Haaren und den Nasenringen, die ohne ihre blöden Doc Martens in der Wüste liegen und ausdorren, oder die Vorstellung, daß da unten ein ganzer Haufen Tuareg mit strahlend blauen Turbanen und Doc Martens an den Füßen Fiat Uno fährt. Wahrscheinlich schieben sie die Hausbesetzer-Kassetten in die Auto-Anlage und klatschen in die Hände und freuen sich, wenn Ton Steine Scherben aus den Lautsprechern plärrt oder The Clash oder was auch immer Autonome so für Kassetten mitnehmen, wenn sie durch die Wüste fahren.

Ich stelle mir das vor, wie The Clash *Sandinista* singen oder *Spanish Bombs in Andaluçia,* so Aufrührerlieder eben, und die Tuareg heizen mit diesen blöden Kleinwagen durch die sengende Wüste, und ab und zu schießt einer mal aus dem Fenster in die Luft, und alle haben einen irrsinnigen Spaß dabei. Die Autonomen hatten in ihren Autos nämlich auch noch große Gras-Beutel und flaschenweise Jack Daniel's versteckt, obwohl das ja so ein völlig reaktionäres Schweine-Red-Neck-Getränk ist, aber Berliner Autonome trinken das nun mal. Die sind eben etwas verdreht im Kopf, aber jetzt sind sie sowieso tot, und sie liegen am Straßenrand, und die Sonne schält ihnen die Haut von ihren ausgemergelten Verliererphysiognomien, und nach Aas aus dem Schnabel riechende Geier hacken ihnen jetzt die Augen aus, den blöden Hausbesetzern. Schön dumm.

Na ja, Rollo erzählt das so, und ich denke darüber nach und rauche Zigaretten und sehe aus dem Fenster. Irgendwann kommt das Schild Lindau und da ist dann der Bodensee.

Ich kenne diesen See sehr gut, weil ich ja auf Salem war, das habe ich vorhin schon mal erzählt. Es gibt in Deutschland eigentlich nichts Angenehmeres als den Bodensee. Überall blühen Blumen, und an den Tankstellen spielen kleine Kinder mit Plastikbaggern, und es ist sehr ruhig dort im Frühjahr, und im Sommer wird es dann richtig heiß. Es gibt da sogar richtige Palmen, mitten in Deutschland.

Wir fahren am Ufer entlang. Beide Wagenfenster sind auf, und wir fahren ziemlich langsam, ungefähr vierzig, und hinter uns hat sich ein kleiner Stau gebildet, aber die Leute trauen sich ja nicht zu hupen, wenn man mit einem Porsche vor ihnen ganz langsam fährt.

Ab und zu riecht es nach Bratfett durchs Fenster herein und nach frisch gemähtem Gras und nach Benzin. Ich denke daran, daß das wohl Gerüche sind, die einfach jeder von früher kennt, der in Deutschland aufgewachsen ist. Dazu kommt natürlich noch frisch gemahlener Kaffee, aber wir haben früher in der Familie nie Kaffee getrunken, deswegen gehört das nicht zu meinen Erinnerungsgerüchen.

Ich habe immer Lapsang Souchong getrunken als Kind oder Earl Grey mit ganz viel Milch und Zucker und dazu Corn Flakes zum Frühstück, und Bina hat mir immer Toast gemacht und säuberlich die Ränder abgeschnitten, weil ich die nicht gegessen habe. Tee mit Milch hat jetzt für mich immer so einen Kuh-Geruch, als ob man am liebsten darin baden würde, weil es so fein nach Zuhause riecht und nach Sicherheit, aber den Tee-mit-Milch-Geruch, den riecht man ja nicht so häufig am Straßenrand.

Rollo war nicht in Salem, so wie Alexander, mein anderer Freund. Rollo war am Bodensee auf der Waldorfschule. Seine Eltern sind nämlich ziemliche Hippies. Das passiert oft bei ganz reichen Leuten, daß sie so ins Hippietum abdriften. Vielleicht, weil sie alles andere schon gesehen und erlebt haben und sich alles kaufen können und dann irgendwann in sich so eine furchterregende Leere entdecken, die sie dann nur durch die innere Abkehr vom Geldausgeben ausfüllen können, obwohl sie natürlich weiterhin massiv viel Geld ausgeben. Der Nigel, der ist auch ein bißchen so. Das ist das, was ich mit dem abgeschabten Klingelschild meinte, und auch mit den Barbourjacken.

Na, und Rollo, der hat eben mit Kupferstäben hantieren und seinen Namen tänzerisch darstellen müssen als Kind, dort in der Waldorfschule, und in Ecken hat er sich ja auch nicht setzen können, wenn ihm das ganze friedliche Getue auf die Nerven gegangen ist, weil die Waldorfschulen bekanntlich ja gar keine Ecken haben. Das Schlimme daran, das denke ich mal so, war sicher die tänzerische Eigeninterpretation seines Namens. Denn wie man den Namen Rollo darstellt, das kann man sich denken. Und das, obwohl der Rollo überhaupt nicht fett ist. Daher wird sein Knacks kommen.

Rollos Vater ist das Hauptmitglied eines südindischen Aschrams in der Nähe von Bangalore. Hauptmitglied deshalb, weil er den dortigen Guru und die Aschram-Anlage mit ziemlich viel Geld unterstützt, mit fast 500 000 Mark im Jahr. Und weil er das schon seit ungefähr zwanzig Jahren macht, braucht sich dieser Aschram überhaupt keine Geldsorgen zu machen.

Rollo hat mal erzählt, da gäbe es nicht nur fließend warmes und kaltes Wasser, an das jetzt das gesamte Dorf angeschlossen ist, sondern auch ein Video-Meditationszentrum und einen Computerraum, und das Haus, in dem die vegetarische Küche untergebracht ist, ist sogar nach Rollos Vater benannt worden. Ein Kinderkrankenhaus hat der Guru auch bauen lassen, mit dem ganzen Geld, aber das heißt nicht wie Rollos Vater, sondern wie der Guru, dessen Name mir nicht mehr einfällt.

Jedesmal, wenn der Vater da unten aufkreuzt, wird ein riesengroßes vegetarisches Fest für ihn veranstaltet, drei

Tage und drei Nächte, alles ohne Alkohol. Das muß man sich mal vorstellen. Alle behandeln ihn wie den großartigen Spender, der er ja auch ist, aber das will er natürlich nicht, Rollos Vater, aber weil alles schon so festgefahren ist und der Guru, der Aschram und das ganze Dorf von ihm abhängig sind und ihn alle wirklich liebhaben, kommt er natürlich nicht mehr zum Meditieren und Besinnen und In-sich-Gehen oder was man in so einem Aschram eigentlich tun sollte. Das macht ihn traurig, aber er kommt, wie gesagt, nicht mehr aus dieser Situation heraus. Eigentlich albern, das Ganze. Aber dann auch wieder nicht. Er hat sich das ja selbst eingebrockt, und jetzt leidet er darunter.

Rollos Elternhaus ist in Meersburg, das liegt direkt am See. Wir fahren mit offenen Fenstern durch die kleine Stadt, der Motor knattert wie ein VW-Motor und hallt durch die engen Gassen. Die Sonne scheint fein, obwohl sie jetzt ja schon tiefer steht über dem See. Dann fahren wir einen langen Kiesweg hoch, am Ende des Weges ist ein großes, verwittertes Tor, das offen steht, und wir fahren hindurch auf das Grundstück von Rollos Familie.

Er parkt das Auto vor einer großen Villa, die vorne so Säulen hat. Das Gepäck lassen wir im Wagen. Da wird sich schon jemand drum kümmern, meint Rollo. Ich sehe ihn so von der Seite an, während wir aussteigen, so, daß er es nicht merkt. Er freut sich doch sehr, wieder in seinem Elternhaus zu sein. Er ist schließlich hier geboren, im Krankenhaus in Friedrichshafen, glaube ich, und hier in Meersburg ist er großgeworden.

Manchmal, wenn er sich aufregt oder wenn er betrunken ist, dann spricht er wie die Menschen hier unten. Seine

Stimme wird dann leicht nuschelig, und meistens erzählt er dann in diesem Halbschwäbisch von seinem ersten Konzert, in der Zeppelinhalle in Friedrichshafen. Das war Barclay James Harvest, so eine Schweinerock-Band mit Riesen-Lightshow. Dort hat er vor dem Konzert den ersten Joint geraucht, mit vierzehn. Und wenn Rollo so richtig betrunken ist, erzählt er in dieser komischen Hybridsprache von seinem ersten Auto, einem hellblauen VW-Käfer, und wie er damit zur Birnau gefahren ist, abends. Da hat er dann, mit achtzehn, nachdem er zwischen vierzehn und achtzehn der größte Mod des Bodensees war, den Bombast-Rock seiner Jugend wiederentdeckt. Das Mod-Sein hat er schnell wieder verworfen, obwohl hinten auf seinem Auto immer noch ein großer The Kids are alright-Aufkleber pappte. Also, er parkte seinen Käfer, rauchte, und das Lied *Nights in White Satin* von Moody Blues wurde immer und immer wieder auf dem Kassettenrecorder zurückgespult. Dabei hat er sich dann mit der Zigarette immer absichtlich Löcher in den Arm gebrannt.

Das klingt jetzt alles so wehmütig, nach verlorener Jugend und so. Normalerweise finde ich diesen ganzen Hippie-Kram ja auch furchtbar ermüdend, aber bei Rollo eben nicht. Er hat so eine nette Art, und früher hätte ich so etwas ziemlich Scheiße gefunden, ich meine, wenn jemand auf Parkplätzen ganz alleine grauenvolle Lieder hört, in die Abendsonne starrt und sich selber leid tut, und sein Vater ist irgendwo in einem Aschram in Südindien und kriegt auch nichts auf die Reihe, und seine Mutter, von der Rollo übrigens nie spricht, ist sicher Alkoholikerin und sitzt den ganzen Tag vor einer Leinwand und malt den Bodensee im Garten der Villa, vor sich eine immer leerer werdende Flasche Pernod.

Das sind natürlich alles eher billige Bilder, die ich mir über Rollos Leben ausdenke, und früher hätte ich, wie gesagt, das alles sehr albern gefunden. Heute aber interessiert es mich. Ich weiß nicht, warum sich das geändert hat. Vielleicht liegt es am Alter, daß man sich zusehends billigere Sachen ausdenkt.

Rollo jedenfalls, der bekommt tatsächlich so ein Leuchten in den Augen, während er über den Kies läuft. Er klingelt an der Haustür, ein Bediensteter öffnet und freut sich wirklich sehr, Rollo zu sehen. Er führt uns hinein in die Eingangshalle, und Rollo läuft ganz aufgeregt herum, hebt irgendwelche Sachen auf, faßt jetzt eine riesige Vase an, in der rote und gelbe Rosen stecken. Ich denke, wahrscheinlich wird er mir jetzt die Geschichte dieser Vase erzählen, aber er tut es nicht. Ich weiß nicht, wohin mit meinen Händen, also zünde ich mir eine Zigarette an.

Er springt wie ein Irrer hin und her, fährt sich mit der Hand durchs Haar, und jetzt redet er auch noch wirres Zeugs. Gut, daß der Bedienstete nicht da ist, sondern am Auto mit dem Gepäck beschäftigt ist, denke ich, und im selben Moment fällt mir ein großes Stück Asche von der Zigarette auf den chinesischen Seidenteppich, aber Rollo ist viel zu sehr damit beschäftigt, die Dinge wiederzuerkennen, die er alle verloren geglaubt hat, da in München in seiner blöden Acht-Zimmer-Wohnung.

Die Köchin kommt durch die Tür, eine Frau von den Philippinen, und sie geht zu Rollo, macht einen Knicks und schüttelt ihm die Hand. Sie strahlt über das ganze Gesicht, so froh ist sie, Rollo wiederzusehen. Vorne fehlt ihr ein Zahn. Ich meine, ich kenne das ja. Bei Bina ist das genauso. Die rastet auch jedesmal aus vor Freude, wenn ich mich wieder blicken lasse. Ich glaube, für Bina und auch für diese Frau von den Philippinen gibt es nichts Schöneres, als für die jungen Leute zu kochen und ihnen ihre Hemden zu bügeln. Vielleicht liegt es daran, daß diese Frauen selbst nie Kinder haben. Das ist eigentlich ein bißchen traurig, aber das ist wieder so eine Sache, in die sich die Menschen hineinmanövrieren, wieder so eine Art Abhängigkeit.

Die Köchin sieht in meine Richtung, und weil ich meine Hand wie eine Schale unter meine brennende Zigarette halte, läuft sie in die Küche und holt mir einen Aschenbecher. Ich bedanke mich. Leider Gottes ist mir das alles wieder extrem peinlich, und wie ich da so stehe mit dem grünen Glasaschenbecher in der Hand, der übrigens ziemlich geschmacklos ist, und Rollo, der sich ein großes Glas Sherry mit Eiswürfeln geholt hat und jetzt auf der untersten Stufe der großen Marmortreppe sitzt und seinen Sherry trinkt, da fällt mir plötzlich Nigel ein, Nigel mit der Nadel im Arm, mit den leeren Augen und dem ganz dünnen Blutfaden in der Spritze. Nigel kommt mir einfach so in den Kopf, und er bleibt da und will nicht weg. Ich mache die Augen zu, aber er ist immer noch da.

Die Köchin bringt mir einen Gin Tonic, und nach dem dritten Schluck verschwindet Nigel wieder aus meinem Gehirn, so, wie er gekommen ist, ein bißchen wie ein Geist. Ich habe Angst vor dieser Erscheinung, aber wenn man viel trinkt, dann geht das schon wieder weg.

Rollo und ich gehen, jeder eine Zigarette rauchend, durch die großen Flügeltüren in den Garten und setzen uns auf ein paar weiße Holzstühle. Der Gin Tonic ist genau richtig jetzt. Rollo sitzt mit der Lehne nach vorne, zwischen den Beinen, die Arme auf das Holz der Lehne gestützt, das zweite Glas Sherry mit Eiswürfeln in den

Händen. Vom See weht ein ganz leichter Wind herüber, und während irgendwo im Haus ein Telefon klingelt, gleiten in der Ferne ein paar Segelboote vorbei, und es wird Abend, und Nigel ist nur noch an den Rändern da, aber ganz klein und unscharf.

Das Geräusch des Windes, der durch die Büsche weht, und auch dieses leise Klicken der Eiswürfel in unseren Gläsern machen mich ganz ruhig, fast sogar ein bißchen schläfrig. Ich denke daran, daß ich früher auch oft am See gesessen habe und daß ich diese Stunde, in der das Licht nachläßt und man aufnahmefähiger wird für ganz komische Dinge, wunderbar finde. Wenn man so sitzt und nachdenkt und ein bißchen trinkt, dann wird man empfänglich für Schatten oder für Vögel, die am Himmel über dem See kreisen.

In sich sind diese Sachen ja gar nicht merkwürdig, aber wenn das alles so zusammen passiert, dann bekomme ich immer so eine halbwache Vorahnung von, na ja, etwas Kommendem, etwas Dunklem. Nicht, daß das mir Angst machen würde, dieses Nahende, aber es ist auch nicht angenehm. Auf jeden Fall ist es gut versteckt. Ich habe das noch niemandem erzählt, deswegen kann ich es auch nicht besser erklären. Es liegt hinter den Dingen, hinter den Schatten, hinter den großen Bäumen, deren Zweige fast den See berühren, und es fliegt hinter den dunklen Vögeln am Himmel her.

Daran habe ich immer schon gedacht, auch so mit fünf. Ich habe das noch niemandem erzählt, weil es ja nichts Konkretes ist, nur so ein Gefühl, so eine Vorahnung eben. Über so etwas kann ich nicht viel sagen.

In einer Stunde kommen die Gäste, deswegen trinken wir langsam unsere Gläser aus. Rollo zeigt mir mein Zimmer, und dann geht er auf seins, weil wir uns ja noch umziehen müssen. Das Gästezimmer, in das er mich führt, ist eher unpersönlich eingerichtet. Es riecht nach dieser durchsichtigen orangefarbenen Seife, Pear's heißt die, glaube ich.

Ich öffne meinen Koffer, den irgend jemand hochgetragen hat, nehme ein frisches weißes Hemd heraus, eine blau-weiß gestreifte Krawatte und meinen einreihigen nachtblauen Blazer und lege alles aufs Bett. Dann ziehe ich mich aus und marschiere unter die Dusche. Ich dusche dreimal abwechselnd warm und eiskalt, dann rasiere ich mich vor dem Spiegel im Bad, trockne mich ab und laufe vor den Spiegel im Schlafzimmer. Ich ziehe das weiße Hemd an und binde mir die Krawatte um, sorgfältiger als sonst, mit einem Windsor-Knoten.

Ich ziehe den Knoten fest, mit beiden Händen, und sehe dabei in mein Gesicht im Spiegel. Ich sehe nicht wirklich hin, nur so an die Ränder, und dann habe ich wieder dieses Gefühl von vorhin, diese merkwürdige Vorahnung, daß da bald etwas kommen wird. Ich denke an Alexander, daran, daß er seine Barbourjacke vermißt, es ihm aber wahrscheinlich auch egal ist. Wenn ich sage, ich würde an die Ränder sehen, dann meine ich das wirklich so. Die Mitte von meinem Gesicht, die will ich gar nicht mehr sehen, nur noch die Umrisse. Das geht natürlich nur, wenn man dabei die Augen zukneift, dann wird es so, daß die Mitte verschwindet.

Ich kneife also die Augen zu und denke an Rollo und an seinen Valium-Konsum, wie er immer ein kleines Viertelchen der Tablette nimmt, aber gar nicht müde wird, sondern lustig und aufgedreht, obwohl er am Tag zwei oder drei ganze Valium nimmt. Ich denke, daß er das von seiner Mutter geerbt haben muß, obwohl ich sie ja noch nie zu sehen bekommen habe. Rollo hat sie auch erst ein- oder zweimal erwähnt, seitdem wir uns kennen.

Ich stelle mir das so vor, daß sie sich auch mit diesen Schlaftabletten betäubt, den ganzen Tag lang, um dann nachts wachzuliegen, weil die Nacht, die Zeit im Bett mit sich selbst, natürlich viel erträglicher ist als das wirkliche Wachsein.

Ich gehe ans offene Fenster. Es führt nach hinten hinaus, in den Garten. Ich sehe Rollo, der sich viel schneller umgezogen hat als ich, auf dem Rasen stehen, schon wieder ein Glas in der Hand. Überall sind Fackeln angezündet, weil es schon ganz dunkel ist. Das orangefarbene Leuchten vorhin, am Rand des Himmels, das ist jetzt verschwunden.

Zwei Mädchen reden auf Rollo ein, aber ich kann nicht erkennen, ob sie hübsch sind, weil sie mit dem Rücken zum Haus stehen. Sie haben beide sehr braune Haut und sie tragen Kleider, die mir überhaupt nicht gefallen. Zumindest von hinten nicht. Ab und zu kichert eine von ihnen, und ich kann sehen, daß Rollo einen Witz gemacht haben muß, weil er kurz darauf immer einen ziemlich dümmlichen Gesichtsausdruck bekommt.

Er sieht dann so aus, als würde er darauf warten, daß nach dem Witz noch etwas kommen würde, wie eine Pointe hinter der Pointe. Die kommt aber natürlich nie, und dann schaut er erst dümmlich drein und dann fällt er in sich zusammen, so, als ob er jedesmal aufs neue irre enttäuscht ist von seinen eigenen Witzen. Ich glaube manchmal wirklich, das liegt am Valium. So etwas kann einen ja nur dumm machen.

Ich gehe aus dem Gästezimmer, schließe die Tür hinter mir, fahre mir mit den Händen übers Gesicht und merke, daß ich mich links unten am Hals nicht sorgfältig genug rasiert habe. So etwas irritiert mich immer maßlos. Ich überlege den Bruchteil einer Sekunde, ob ich mich nicht nochmal rasieren sollte, aber das ist mir dann wirklich zu anstrengend, nochmal in dieses Gästezimmer zu gehen, und deswegen lasse ich es lieber sein.

Ich laufe ganz langsam die große Treppe hinunter, und während ich gleichzeitig denke, daß das so etwas Filmisches hat, wie ich da herunterkomme, so wie Cary Grant in einem Schwarzweißfilm in den Vierzigern, und ich mich furchtbar nackt und schutzlos fühle da auf der Treppe, bemerke ich, daß jemand den großen Kristallleuchter angezündet hat, und die Milliarden von Kerzen machen alles so festlich, wie Weihnachten früher bei uns zu Hause. Es riecht nach Wachs und nach den vielen Blumen im Haus und im Garten, und auf einmal habe ich das Gefühl, nicht richtig angezogen zu sein.

Ich gehe durch die Flügeltüren hinaus in den Garten und zünde mir eine Zigarette an. Ziemlich viele Menschen tragen schwarze Abendanzüge und ein paar sogar weiße, mit schwarzer Fliege. Ich fühle mich etwas deplaziert wegen meinem blöden maritimen Aussehen. Ich sehe aus wie ein alberner Yachtbesitzer, der abends in Marbella an Land geht.

Ein Kellner, ganz offensichtlich ein Model, der gar nicht kellnern kann, sondern den Job nur hat, damit er dumm herumsteht und gut aussieht, trägt ein Tablett mit Getränken auf mich zu, aber da es nur Champagner ist und so eine eklige orange-gelbfarbene Bowle, frage ich ihn, wo die Bar ist, an der man vielleicht ein ordentliches

Getränk bekommen kann. Er lächelt sein makelloses dummes Model-Lächeln, und dann zeigt er auf ein Gebüsch und fängt an, mit seinem glockenhellen Schwuletten-Stimmchen irgend etwas zu faseln, aber ich höre nicht hin.

Da hinten, im Gebüsch, zwischen Oleanderzweigen, ist tatsächlich eine Bar aufgebaut. Na ja, Bar ist wirklich zuviel gesagt, eher ist so ein weißes Leintuch über ein paar Tische drapiert worden, und ein paar braungebrannte Models wurden dahintergestellt und ein paar Flaschen drauf. Ich weiß auch nicht, wer diese Partys immer ausrichtet, ob das Rollo selbst macht oder das Personal des Hauses, denn Rollos Vater kann ja eigentlich nichts damit zu tun haben, da er sich aus Partys nichts macht und er sowieso immer unterwegs ist.

Also, ich stehe da vor der Bar, und weil ich diese komischen Vorahnungen von vorhin vergessen will und erst recht diese deprimierenden Gedanken über Rollo und seine Familie und was für eine traurige Gestalt Rollo doch eigentlich ist, beschließe ich, jetzt mal ernsthaft mit dem Trinken anzufangen. Ich lehne mich über die Bar und sage zu einem der Model-Kellner, ich hätte gerne vier Brandy Alexander, bitte.

Die beiden Barmänner tauschen so einen heimlichen Schwuletten-Blick aus und denken, ich merke das noch nicht mal. Deswegen streiche ich mir mit der Hand die Haare aus der Stirn und schwanke so ein bißchen herum, damit sie denken, ich wäre Alkoholiker, was ich ja eigentlich auch bin. Dann grinse ich sie an, so von unten, das kann ich ja ganz gut. Die blöden Kellner fühlen sich geschmeichelt, und der eine stellt mir die vier Gläser mit der hellbraunen Flüssigkeit hin, vor sich auf das weiße Tischtuch, und ich trinke in einem Schluck das erste Glas aus und dann das zweite. Der Likör brennt ein bißchen in der Kehle.

Ich schüttele mich so halb gespielt, denke in dem Moment, Gott, jetzt habe ich es zu weit getrieben, merke aber, daß man solche Model-Kellner nie zu weit treiben kann. Die nehmen einem immer alles ab. Die beiden sind jetzt hin und weg. Der eine nestelt tatsächlich vorne an den Knöpfen seiner Uniform herum. Es ist wirklich kaum zu glauben. Zum Abschluß öffne ich mir den obersten Hemdkragen, lockere mir die Krawatte, sage Lachaim und trinke die beiden anderen Brandy Alexander aus, in einem Zug. Mir wird ganz warm im Bauch, aber die Dinger werden erst in ein paar Minuten wirken, das weiß ich. Die Haare fallen mir wieder in die Stirn, und ich schiebe sie nochmal weg, sehe dann dem einen Barmann eine Sekunde länger in die Augen als notwendig und bedanke mich.

Im gleichen Moment höre ich, wie Rollo neben mir steht und sagt: Yo soy feliz y tu tambien. Ich verliere fast die Fassung, weil es mich so erschreckt. Ich habe ihn nicht kommen sehen, und plötzlich steht er neben mir und sagt etwas auf Spanisch zu mir, etwas, das ich anfangs gar nicht verstehe, weil mir jetzt die vier Drinks ins Gehirn schießen. Dann sagt er es nochmal. Er sagt tatsächlich auf Spanisch: Ich bin glücklich, und du bist es auch.

Ich sehe in sein Gesicht. Er hat schon einige Sherrys mit Eis getrunken und dazu mehr Valium genommen als normal. Er hat so einen dummen Ausdruck im Gesicht, dasselbe Grinsen, das er hat, nachdem er einen Witz erzählt, so, als ob da gleich noch etwas kommt. Es kommt aber gar nichts. Er steht einfach da, klammert sich an sein Sherryglas und grinst dämlich.

Ich schaue ihn an, wie er dasteht in seiner weißen Smokingjacke mit der schwarzen Hose und der schwarzen Fliege, die ein bißchen schlampig gebunden ist. Er wankt in den Knien, und seine Augenlider flattern, weil er so voll ist mit Alkohol und Valium. Anstatt etwas zu sagen, egal was, grinse ich zurück. Er schwankt auf mich zu, legt den Arm um meine Schultern, trinkt seinen Sherry in einem Schluck aus, und dann drehen wir uns um und bestellen an der Bar jeder noch einen Drink. Ich fühle mich ungefähr eine Sekunde lang schuldig, weil ich nichts gesagt habe. Das geht aber schnell vorbei, weil ich weiß Gott Besseres zu tun habe als mir wegen Rollo ein schlechtes Gewissen zu machen.

Die beiden Barmänner gucken immer noch blöd und leicht verliebt. Da Rollo nichts weiter sagt als diesen spanischen Satz und dabei mit den Augenlidern flattert und ich dastehe und wieder mal nicht weiß, wohin mit meinen Händen, zünde ich mir eine Zigarette an und plötzlich ist er wieder da, dieser Nachmittag vor Jahren, an dem ich einen Flug nach Mykonos genommen habe.

Ich hatte gehört, da solle es ganz fein sein. Alexander hatte mir einmal in einem Brief geschrieben, Mykonos sei ein äußerst amüsanter Ort. Die Insel sei eigentlich nur ein Haufen gelben, kahlen Gesteins, mitten im blau-grünen Ägäischen Meer, na, und da könne man interessante Beobachtungen machen.

Ich habe also einen Flug gebucht, über Amsterdam, ganz früh am Morgen. Durch diesen Schiphol Airport laufend, Zigaretten rauchend, habe ich mich sehr abenteuerlich gefühlt. Ich habe natürlich außer einem kleinen Pappkoffer kein Gepäck dabeigehabt, und deswegen habe ich mich wie ein Flüchtling gefühlt, wie jemand, der einen Haufen Geld veruntreut hat und nun den nächsten Flug nimmt nach Montevideo, nach Dacca oder nach Port Moresby. Schon ein bißchen kindisch, vor allem, weil ich ja dann nur nach Mykonos geflogen bin. Aber das mußte ich ja keinem erzählen. Ich glaube, jetzt, wo ich so darüber nachdenke, fällt mir ein, warum Alexander so viel herumgereist ist in der Welt. Weil es so glamourös ist, das Herumstreifen an seltsamen Orten, wo einen absolut keiner kennt. Und keiner weiß, was genau man da will. Tourismus ist es ja nicht. Und Geschäftsreisen sind es auch nicht. Es gibt einfach keinen vernünftigen Grund, in Dritt-Welt-Länder zu fliegen, außer man geht einer Beschäftigung nach, die es eigentlich gar nicht mehr gibt: dem Müßiggang.

Also, ich bin eingestiegen in das kleine Flugzeug. Es war sogar eine Propellermaschine. Der Flug selbst ist ziemlich holprig verlaufen, die Kabine ist zur Hälfte mit einer kanadischen Reisegruppe aus Toronto belegt gewesen. Als wir das Mittelmeer erreicht haben, ist die Sonne durch die Wolken gebrochen, und alles ist mir immer noch wie eine groß angelegte Flucht erschienen. Ich habe mich gut gefühlt. Meinen kleinen Pappkoffer hatte ich unter dem Sitz vor mir liegen, und ich kam mir sehr geheimnisvoll vor, und Screwdriver habe ich am laufenden Band bestellt. Dann ist das Flugzeug tatsächlich über so einem gelben Steinhaufen gekreist, und als es landen sollte, war ich vollkommen betrunken. Die Landung ist sehr hart gewesen, und dann bin ich nach draußen getreten, auf das Rollfeld, und die Insel flimmerte im Licht.

Ich habe meinen kleinen Koffer in der einen Hand festgehalten und in der anderen Hand den letzten Screwdriver aus dem Flugzeug, und dann bin ich auf das Zollgebäude zugewankt, umringt von furchtbar vergnügten und aufgeregten Kanadiern.

Kontrolliert worden bin ich überhaupt nicht. Gleich am Flughafen habe ich mir eine Vespa gemietet mit automatischer Gangschaltung, weil ich schon damals mit richtigen Motorrädern nicht klargekommen bin und sie auch jetzt noch ziemlich affig finde. Ich bin gleich losgefahren, zum ersten Strand in der Nähe des Flughafens, Super Paradise Beach hieß der, glaube ich. Nein, ich bin mir ziemlich sicher, daß er so hieß.

Die Straße zum Strand ist eigentlich eher ein Weg gewesen und sie ist mir furchtbar lang erschienen, zehn Kilometer mindestens, an Eseln vorbei und so merkwürdigen gelben Steinhügeln, aber sonst menschenleer. Da ich natürlich immer noch betrunken gewesen bin, bin ich erst einmal rangefahren, habe meine beigen Bermudahosen aus dem Köfferchen genommen und die angezogen. So etwas würde ich sonst nie machen, mich am Straßenrand umziehen. Zum Glück war da keine Menschenseele.

Ich bin dann in meinen Shorts und meinem Oberhemd, das ich vorne aufgeknöpft hatte, so eine ganz steile Böschung hinuntergerast auf dem Roller. Unter mir war ein herrlicher Strand zu sehen, wie auf einem Prospekt von TUI, und vorne im Körbchen des Rollers lag mein kleiner Koffer, und die Seiten meines Oberhemdes flatterten im Wind. Es war wirklich sehr lustig.

Der Weg ist dann noch steiler geworden. Der Strand wurde jetzt von roten Blütenbüschen verdeckt. Es roch auf einmal ganz wunderbar, und plötzlich ging der steile Holperweg nicht mehr weiter und ich mußte den Roller stehenlassen. Da kam dann ein Schild, auf dem Coco Beach Club stand, und dann erschien, leicht erhöht, auf einem Vorsprung über dem Strand eine runde Bar, mitten im Freien, mit so einem Zeltdach aus Bambus. Ich habe noch gedacht, prima, jetzt erst mal noch einen Screwdriver.

Dann habe ich mich an die Bar gesetzt und einen Drink bestellt, und ich sehe so neben mich, und da sitzt, ich lüge nicht, so ein dicker Mann in einem schwarzen durchsichtigen Body, der auf seinen Arschbacken zwei Barockengel tätowiert hat, die in Richtung seines Arschlochs kleine Pfeile abschießen.

Ich habe fast angefangen loszuprusten, sehe mich um, und plötzlich wird mir klar, daß ich mitten in einer Runde von ganz, ganz harten Schwuletten gelandet bin. Ich meine, es waren mindestens zwanzig. Alle sind tiefbraun, einige haben ondulierte Haare und die meisten sind über vierzig. Sie haben die unmöglichsten Badehosen an; so Bänder, die hinten durch die Furche gezogen werden und vorne ein kleines Beutelchen haben.

Der Screwdriver kommt, und der Barkeeper dreht die Kassette um, und als *Sadeness* von Enigma aus den Lautsprechern kommt, fangen alle an, ganz versonnen auf dem Kies vor der Bar zu tanzen. Einige von ihnen haben noch nicht einmal mehr diese Beutelchen an. Sie sind völlig nackt, und während sie tanzen, schwingen ihre Hoden umher. Einer von ihnen, ein schwabbeliger Braungebrannter, hält sich immer so ein winziges Fläschchen, das er an einem Lederbändchen um den Hals hängen hat, unter die Nase, riecht dann daran und grinst ganz komisch.

Ich kippe ganz schnell den Screwdriver hinunter, lege irgendeinen großen Drachmen-Schein auf die Bar, nehme mir mein Köfferchen, das mir in dem Moment, in dem ich es aufhebe, völlig fehl am Platz erscheint, und dann laufe ich zum Strand hinunter. Ich höre ganz deutlich, wie einer der Nackten hinter mir herschmunzelt. Tsk Tsk Tsk, macht der.

Ich laufe die Treppchen hinunter, ziehe meine Slipper aus und gehe so halb im Wasser, halb auf dem Sand, und plötzlich merke ich, wie alle mich anstarren. Ich meine, wirklich alle, die an dem Strand liegen. Schlimmer noch, alle sind nackt. Und es sind alles nur Männer. Ich laufe ein Stückchen, und dann sehe ich rechts neben mir im Wasser einen älteren Mann, ohne Haare auf seinem sehr braunen Schädel. Er liegt schon ganz im Wasser, läßt sich von den kleinen Wellen so umspülen, schaut mir direkt in die Augen, und zwischen seinen Beinen hat er eine halbe Erektion, obwohl das Wasser doch ziemlich kalt ist.

Oh Gott, denke ich. Oh Gott, oh Gott. Das kann doch alles gar nicht wahr sein. Daß diese Menschen sich so prostituieren müssen, und vor allem, daß ich hierhergeflogen bin und jetzt völlig betrunken an einem Altmänner-Homosexuellen-Strand herumrennen muß, wo ich mich nirgendwo hinsetzen kann, ohne von Nackten angezwinkert zu werden. Vielleicht, denke ich, vielleicht könnte ich das alles ertragen, wenn ich mich anstrengen würde. Ich will es aber nicht. Ich will mich nicht anstrengen müssen, auf gar keinen Fall.

Die griechische Sonne prallt mir aufs Gehirn. Den letzten Screwdriver hätte ich nicht trinken sollen. Ich merke, wie ich beim Gehen furchtbare Kopfschmerzen bekomme. Ich kann auch nirgendwo hinsehen, ohne jemandem zwischen die Beine gucken zu müssen. Und dann reicht's mir. Ich habe genug.

Mitten an diesem gräßlichen Ort, mit bleicher Haut, umringt von ungefähr einer Milliarde nackter brauner Männer, sehe ich, ganz weit draußen, im heller werdenden Blau des Meeres einen Dampfer vorbeifahren. Ich zeige mit dem Finger auf den Dampfer, bewege mich dabei nicht und kann sehen, wie das Schiff sich in Relation zu mir bewegt. Ganz klein, hinten, wo der Horizont fast schon weiß ist, fährt es an meinem ausgestreckten Finger vorbei. Und das Beste daran ist: Meine Kopfschmerzen gehen weg, die Panik wegen den Schwulen geht weg, alles geht wieder in Ordnung. Es ist fast so, als ob ich keine Angst mehr haben müßte im Leben, für einen Moment.

Danach bin ich natürlich sofort wieder zum Roller zurück, an der Bar vorbei, wo die Männer immer noch tanzen und wo jetzt Freddy Mercurys *I want to break free* läuft – übrigens eine der schlimmsten Zumutungen der Popgeschichte –, um ganz schnell den Roller zu besteigen, den steilen Weg wieder hoch, zum Flughafen. Die allernächste Maschine ging nach Rom, und die habe ich dann auch genommen. So war das, meine zwei Stunden auf Mykonos.

Alexander hat natürlich recht gehabt damit, daß es dort interessant sei. Nur erkenne ich das erst jetzt, Jahre später, in diesem Augenblick, auf der Party am Bodensee, neben Rollo stehend. Es hat etwas mit diesem Dampfer zu tun, mit dem Stillstehen, während der Dampfer selbst weiterfährt, und hinter einem liegen nackte alte Männer und starren einem auf den Arsch.

Das ist natürlich etwas schwierig zu erklären, aber es ist ein bißchen so, als finde man seinen Platz in der Welt. Es ist kein Sog mehr, kein Ohnmächtigwerden angesichts des Lebens, das neben einem so abläuft, sondern ein Stillsein. Ja, genau das ist es: Ein Stillsein. Die Stille.

Vielleicht hat Alexander genau das gemeint, als er mir über Mykonos schrieb, ich solle da mal hinfahren. Aber wie soll er denn das gewußt haben? Also, ich halte das für ziemlich unwahrscheinlich, daß er das gewußt hat. Ich glaube, er hat es nur geahnt.

Die Party ist jetzt in vollem Gange. Überall stehen Menschen auf dem Rasen. Der Schein der Fackeln fällt auf ihre Gesichter, und es sieht tatsächlich mal so aus, als ob viele ganz gut angezogen sind. Die Model-Kellner huschen herum mit ihren Tabletts, auf denen Champagnergläser leuchten.

Der Rasen und der See sind fast schwarz, und die hellen Smokingjacken und das alles, das macht mich für einen Moment sehr zufrieden, das wird natürlich auch am Alkohol liegen, an diesem Abstumpfen, aber die Farben und das über der Party liegende Gefühl sind richtig, und deswegen ist es ja auch egal, was jetzt genau dieses feine Gefühl auslöst.

Überall riecht es nach Blumen und komischerweise auch nach Sonne auf warmer Haut, und während ich das rieche, kommt mir in den Sinn, daß Rollo eigentlich gar nicht so viele Freunde haben kann. Ich meine, Rollo läuft jetzt von einem Grüppchen zum anderen, und überall wo er auftaucht, lachen die Menschen und sind fröhlich.

Aber das sind nicht seine Freunde. Seine Freunde würden ihm doch sagen, daß er aussieht wie ein Alkoholiker und tablettensüchtig ist. Sie würden sagen, komm Rollo, du mußt jetzt ins Bett, und dann würden sie ihn ins Schlafzimmer bringen und bei ihm sitzen, bis er einschläft. Und wenn er schlecht träumen würde, dann würden sie ihn beruhigen. Freunde würden die ganze Nacht da sitzen bleiben, und danach noch zwei Wochen bei ihm bleiben und jeden Drink, den er sich macht, und jede Valium, jede

Lexotanil ihm aus den Händen nehmen, so lange, bis er wieder klar denken könnte.

Aber diese Menschen hier auf der Party, diese gutangezogenen, schönen Menschen, das sind ganz und gar nicht seine Freunde. Ich denke, daß er das noch nicht einmal merkt, wenn sie über seine blöden Witze lachen, oder wenn ihm die Mädchen aus Lindau oder aus Friedrichshafen zulächeln und ihre Brüste etwas weiter vordrücken, nur weil seine Familie eine große Villa am Bodensee hat, und ein Haus in Cap Ferrat und noch eins in East Hampton. Da läuft er hin und her, der arme Rollo, und er sieht es nicht, daß alle ihn gar nicht kennen wollen.

Dort hinten, neben einer Fackel, stehen Sergio und Karin, und ich sehe sie erst jetzt. Sergio, das ist der Kolumbianer, den ich am Strand von Sylt kennengelernt habe, vor ein paar Tagen. Die beiden halten sich an der Hand, aber eher so verspielt, nicht besonders innig. Ich überlege kurz, ob ich da hingehen und hallo sagen sollte, und während ich noch zögere, beginnt irgendwo Musik zu spielen. Es klingt so, als ob da eine Band spielen würde, aber in Wirklichkeit kommt es aus Lautsprechern, die hinter den Büschen versteckt sind. Die Musik ist ganz schön, ich kenne sogar die Stücke. Das erste ist *Your feet's too big* von den Ink Spots, das ist so eine schwarze Band aus den vierziger Jahren. Das ist wirklich gut. Rollo macht schon eine gute Party, soviel ist sicher.

Ich bekomme gute Laune von dem Stück, zünde mir eine Zigarette an, streiche mir die Haare aus der Stirn und gehe hinüber zu Karin und Sergio. Karin freut sich, mich zu sehen. Sogar Sergio, den ich ganz und gar nicht in guter Erinnerung habe, scheint sich zu freuen.

Ich fühle mich zwar etwas schlechter angezogen als alle anderen, aber eigentlich macht es ja doch nichts. Mein Kragen ist immer noch offen und meine Krawatte hängt ziemlich dumm herunter. Das sage ich nur, weil die beiden so verdammt gut aussehen. Karin ist noch etwas braungebrannter als auf Sylt, und ihre halblangen blonden Haare sind noch ein bißchen heller. Sergio trägt einen schwarzen Abendanzug, seine Haare sind ganz streng nach hinten gekämmt, und er ist auch sehr braun im Gesicht. Während wir plaudern und Höflichkeiten austauschen, zieht er immer an seinen Manschetten. Karin redet wieder viel. Im Grunde ist sie genauso wie auf Sylt vor ein paar Tagen: umwerfend.

Reden ist bei Karin eigentlich schon zuviel gesagt. Sie plappert von irgendeinem Spanier, den die beiden auf Sylt kennengelernt haben und der sie dann, Sergio und Karin, zu einem ganz kurzen London-Besuch überredet habe. Dort, erzählt sie weiter, wären sie zuerst im Quaglino's gewesen, dort hätten sie schon angefangen zu trinken, danach wären sie zu Annabelle's gegangen und danach hätten sie sich im Tramps so schlecht benommen, daß dem Spanier die beiden vor seinen Freunden richtig peinlich gewesen seien. Sie hätten sich jedenfalls blendend amüsiert.

Ach ja, gewohnt hätten sie im Halcyon, das aber eine Enttäuschung war, weil da nur so fette abgehalfterte Schwachköpfe wie Phil Collins abhängen würden. Aber Sergio, erzählt Karin, ohne irgendeine Pause zu machen, der sei wirklich so ein charmanter Kerl, und als sie das sagt, lächelt Sergio, und ich sehe, daß er nicht wirklich das Arschloch ist, für den ich ihn auf Sylt gehalten habe. Sein Lächeln, soviel ist sicher, ist wirklich äußerst charmant.

Karin redet und redet. Das ist wirklich das Gute an ihr, daß man hinhören kann oder nicht, und beides ist genau gleich viel wert, im Endeffekt. Weil kein Kellner zu sehen ist, fragt Sergio, ob ich noch etwas trinken möchte, und ich sage ja, ich hätte gerne noch einen Brandy Alexander. Karin möchte noch einen Champagner, und Sergio geht die Getränke holen von der Bar, und Karin redet auf mich ein, und ich sehe ihr dabei in die Augen. Sie ist wirklich schön. Ihr Mund bewegt sich wie von selbst, so, als ob der Mund ein von ihr losgelöstes Wesen wäre, gar nicht ein Teil von ihr. Einfach nur so ein Ding, das sich bewegt, ohne Gesicht drum herum, und erst recht ohne Körper.

Ihr Mund erinnert mich an den Mund von Herrn Solimosi, der Ungar war und sich so aussprach: Härr Schollmoschi. Er war Elektro-Arbeitsgruppenleiter. Das hieß bei uns wirklich so. Ein bißchen wie im Dritten Reich. Außerdem war Herr Solimosi noch Sportlehrer, und er ist nach irgendeinem Budapester Aufstand nach Deutschland geflüchtet. Irgendwann ist er dann Lehrer in Salem geworden.

Das Lustige an ihm war, daß ihn keiner verstand. Er machte den Mund auf, und es kam nur Unsinn heraus, nur unzusammenhängende Laute. Es klang wie wirres Zeug. Ich meine, er sprach ja Deutsch, er hatte schließlich schon Jahre hier gelebt, aber er hatte eben einen unglaublichen Sprachfehler, und der vermischte sich dann mit seinem ungarischen Akzent.

Auf jeden Fall hat ihn nie jemand verstanden bis auf einen Schüler, dessen Vater aus Steinamanger kam und der darum etwas Ungarisch konnte.

Beim Sportunterricht mußte der Junge, dessen Name mir nicht mehr einfällt, immer übersetzen, was Herr Solimosi für Anweisungen gab. Laufä zu Polände hieß zum Beispiel: Lauft zur Polenlinde.

An den Ästen dieser Linde wurden während des Zweiten Weltkrieges zwei polnische Fremdarbeiter aufgehängt, die es gewagt hatten, im Dorf einen Laib Brot zu stehlen. Die Polenlinde war seitdem der Umkehrpunkt für einen Dauerlauf der Salem-Schüler. Und der Herr Solimosi ordnete diesen Dauerlauf gerne an, und hätten wir den halbungarischen Jungen nicht gehabt, dann hätten wir nie gewußt, was wir im Sportunterricht zu tun hatten.

Ich habe immer überlegt, ob der Lauf zur Polenlinde, der wirklich ziemlich anstrengend war, besonders wenn man ihn drei- oder viermal machen mußte, nicht so eine Art Rache sein könnte, von Herrn Solimosi im Namen aller Slawen an uns Deutschen. Und ob ich nicht Buße tun könnte für die Verbrechen der Nazis, dadurch, daß ich zur Polenlinde und zurück laufe. Das habe ich tatsächlich gedacht, damals. Obwohl, wenn ich es mir jetzt überlege, dann war es ja so, daß der halbungarische Junge, der immer Herrn Solimosis Anweisungen der Klasse verständlich machen mußte, noch viel, viel öfter zur Polenlinde gelaufen ist. Jetzt fällt es mir wieder ein: Ich habe ihn tatsächlich in seiner Freizeit dahin laufen sehen, und einmal sogar nachts.

Leider war dieser Junge aber nicht in der Elektro-Arbeitsgemeinschaft. Dort mußten wir auf Sperrholzbretter richtig funktionierende Schaltkreise bauen. Das Ganze mußte mit Lötzinn ordentlich verlötet werden, und klekkern durfte man mit dem Lötzinn auch nicht, denn das gab gleich eine Note Abzug. Eigentlich hagelte es immer nur Notenabzug, weil keiner genau wußte, wie diese

Schaltkreise zu bauen waren, da Herr Solimosi es uns ja nicht erklären konnte. Er hat es versucht, wirklich wahr, aber aus seinem Mund kam immer nur Gestammel, und deswegen hat die Elektro-Arbeitsgemeinschaft nie richtig funktioniert.

Irgendwann mußte Herr Solimosi zurück nach Ungarn, weil das Regime dort seine Familie bedrohte. Wir Schüler hatten dann immer frei, weil es so schnell für ihn keinen qualifizierten Ersatz gab.

Irgendwo in Salem muß es heute noch einen Schrank geben, in dem ein riesiger Haufen nicht funktionierender Schaltkreise auf Sperrholzplatten herumliegt. Eigentlich traurig, weil nie wieder jemand von Herrn Solimosi gehört hat, und alles, was von ihm übrigbleibt, ist ein nutzloser Haufen Klump. Wenn ich es so bedenke, dann ist das wirklich ganz schön traurig.

Ich starre weiter auf Karins Mund, und ich sehe Herrn Solimosis Mund, wie er in einem Keller der ungarischen Geheimpolizei auf und zu schnappt, in diesem Moment redet er auch viel, und die Geheimpolizisten verstehen ihn, aber es gefällt ihnen nicht, was er sagt und sie schlagen Herrn Solimosi deswegen auf den Mund, immer wieder. In diesem Moment beuge ich mich nach vorne, weil ich Karins Mund küssen will. Ich will diesen wunderschönen, dummen Mund küssen, aus dem nur sinnloses Geplapper herauskommt, leeres, wirres Zeug.

Ich beuge mich weiter vor und bilde mir ein, Karins Mund kommt auch näher, und in dem Moment kommt Sergio zurück mit den Getränken. Ich nehme Sergio den Brandy Alexander aus der Hand, murmele irgendeine Platitüde und muß dann ganz furchtbar husten. Sergio klopft mir auf den Rücken und grinst. Er ist jetzt nur so jovial, weil er genau weiß, daß ich auf ihn eifersüchtig bin. Da kann er es sich natürlich leisten, freundlich zu sein.

Ich aber lehne sowas ab. Ich verabschiede mich schnell, vielleicht eine Spur zu schroff, wie ich im selben Augenblick merke. Ich hasse mich selbst dafür, für dieses allzu durchschaubar feindselige Verhalten, aber eigentlich ist es mir auch furchtbar egal. Während ich über den Rasen marschiere, kippe ich den Brandy Alexander hinunter. Ich bin auf gar keinen Fall wütend, nur auf mich selbst, weil ich mich von diesem eingebildeten Südamerikaner habe vorführen lassen. Ich glaube, er hat das absichtlich gemacht, kurz zu verschwinden und den Drink zu holen, und dann genau in dem Moment zurückzukommen, in dem ich Karin küssen will.

Drüben, auf der anderen Seite des Rasens, am See, steht Rollo. Er schwankt hin und her. Sein Blick ist auf etwas draußen auf dem See gerichtet. Ich gehe zu ihm hin. Er sieht furchtbar aus. Seine Augenlider flattern noch stärker als vorhin, und er ist sehr betrunken.

Ich fasse ihn am Arm, und zusammen gehen wir auf den kleinen Bootssteg, der vom Rasen in das dunkle Wasser ragt. Vorne, am Ende des Stegs bleiben wir stehen. Weit draußen, auf dem See, blinkt ein grünes Licht auf. Ich sehe eine Weile hin, und dann merke ich, daß Rollo neben mir weint.

Ich meine, ich habe das natürlich geahnt, daß Rollo todtraurig ist die ganze Zeit. Er kennt einfach zuviele Menschen, und diese Menschen haben es viel zu leicht mit ihm. Freunde sind das ja nicht, obwohl sie ihn alle doch zu mögen scheinen. Es liegt in Rollos Familie, daß sie diese innere Leere haben, die daher kommt, daß alle das Beste wollen und sich dann irgendwo festfahren. Rollo will ja nur, daß sich die Gäste auf seiner Party amüsieren. Da kommt keiner mehr heraus, aus diesem Zwang. Rollos Vater nicht und Rollo selbst auch nicht.

Ich nehme wieder seinen Arm. Der Stoff am Ärmel seines Abendanzugs fühlt sich seltsam an, trocken und warm. Als er den Druck meiner Hand spürt, fängt er an, unkontrolliert zu zittern, und dann heult er richtig. Es schüttelt ihn, so schlimm ist es. Ich denke, daß ich das nicht lange ertragen kann, dieses Schluchzen und das Weinen. Es ist einfach zuviel.

Er murmelt irgend etwas. Ich verstehe nicht, was er sagt. Ich denke, er sagt irgend etwas von Schlaftabletten, damit das Zittern aufhört, damit er nachts wieder schlafen kann. Ich weiß nicht, ob ich ihn richtig verstanden habe, aber ich sage ihm, daß durch die Tabletten das Zittern doch noch schlimmer werden würde, das könne er mir glauben, wirklich.

Mehr sage ich ihm nicht, obwohl ich es vielleicht gekonnt hätte. Ich drücke seinen Arm noch einmal und sage ihm, ich will mir ein Getränk holen, und dann lasse ich ihn da stehen, auf dem Bootssteg.

Ich weiß genau, daß ich mir kein Getränk holen werde und noch viel genauer weiß ich, daß ich Rollo nicht wiedersehen werde. Einmal drehe ich mich noch um. Er steht immer noch da, die Hände in den Taschen seines Anzugs. Seine Schultern zucken ganz leicht, so, als ob ihm kalt wäre. Er sieht auf den See, auf das blinkende grüne Licht da draußen, aber ich glaube nicht, daß er es wirklich sieht.

In meinem Zimmer packe ich den Koffer. Dann gehe ich in Rollos Zimmer und suche in seinen Sachen nach dem

Autoschlüssel. Er liegt in seinem grünen Jackett, in der Innentasche. Ich stecke ihn ein, nehme meinen Koffer und gehe hinaus, auf den Hof, wo die vielen Autos der Gäste stehen.

Ich schließe Rollos Porsche auf, setze mich hinein und starte den Motor. Langsam, im Rückwärtsgang, fahre ich über den knirschenden Kies. Ich kurbele beide Fenster herunter, lege den ersten Gang ein und fahre los, durch das große Tor, auf die Hauptstraße, durch Meersburg hindurch, durch die Nacht, am See entlang. Irgendwo an einer Tankstelle fülle ich für vierzig Mark Benzin nach, und um halb zwei Uhr nachts überquere ich in der Nähe von Singen die Schweizer Grenze. Langsam werde ich wieder nüchtern. Nach meinem Paß fragt mich niemand.

ACHT

Seit zwei Tagen wohne ich im Hotel Baur au Lac in Zürich. Morgens esse ich ein paar Spiegeleier mit Toast. Dazu trinke ich einen ausgepreßten Grapefruitsaft und zum ersten Mal in meinem Leben Kaffee. Ich mag gar keinen Kaffee. Mein Herz fängt an, wie blöd zu rasen, und ich fühle mich schwindlig, aber ich trinke trotzdem morgens zwei große Tassen.

Zürich ist schön. Hier gab es nie einen Krieg, das sieht man der Stadt sofort an. Die Häuser drüben in Niederdorf, auf der anderen Seite des Flusses, haben so etwas Mittelalterliches, ein bißchen wie Heidelberg, aber ohne Fußgängerzone. Hier in Zürich ist vieles weiß: die Schwäne, die am Ufer des Zürichsees auf die Großmütter warten, mit ihren Plastiktüten voller Sonntagsbrot, die Tischdecken überall vor den Cafés und die hohen Wölkchen am blauen Himmel über dem See.

Heute morgen spaziere ich also die Bahnhofstraße hoch und sehe mir die Schaufenster an. Das habe ich ja schon oft gehört, daß die Straßen in Zürich so sauber und appetitlich sind, und ich muß sagen, es stimmt wirklich. Alles ist in Häppchen zu haben, in lauter ganz leckeren Häppchen, und obwohl ich mir ja nichts aus Essen mache, habe ich das Gefühl, ständig hungrig zu sein. In den Feinkostläden riecht es gut und in den Blumenläden auch, und die Menschen sind freundlich.

Das Feine an der Schweiz ist, daß auf den Türen der Geschäfte Stossen steht und nicht Drücken, und daß hier nichts plattgebombt worden ist und vielleicht auch, daß hier die Trambahnen auf Asphalt fahren, der nicht aufgerissen worden ist im Krieg, sondern die Füße der Menschen seit Jahrzehnten trägt. Die Bäume sind schön und manchmal rauschen sie, und das Bier, das schmeckt ganz anders.

Während ich spazierengehe, rauche ich Zigaretten, aber irgendwie paßt es nicht so richtig, hier zu rauchen. Den Porsche habe ich vor zwei Tagen am Züricher Flughafen geparkt. Die Autoschlüssel habe ich ins Handschuhfach gelegt und dann ein Taxi zurück zur Innenstadt genommen. Ich denke, daß ich alles richtig gemacht habe. Sogar das Lenkrad habe ich mit einem Tuch abgewischt, obwohl ich mir dabei idiotisch vorgekommen bin.

Ich denke daran, daß ich mir das Rauchen abgewöhnen sollte. Ich nehme meine angebrochene Schachtel Zigaretten und lege sie im Vorbeigehen auf den Tisch eines Straßencafés. Danach fühle ich mich besser, aber nach zehn Minuten hätte ich gerne wieder eine Zigarette. Ich drehe um und gehe zu dem Straßencafé zurück, aber die Schachtel liegt nicht mehr auf dem Tisch.

Ein paar junge Geschäftsmänner haben sich hingesetzt, und sie trinken Bier mit einer roten Brause drin, obwohl es noch nicht einmal Mittag ist, und einer von ihnen raucht tatsächlich meine Zigaretten. Das sind solche mit teuren Anzügen von der Stange und Mobiltelefonen, so halbe Banker eben.

Kurz, wirklich nur ganz kurz, bekomme ich eine furchtbare Wut, und ich will schon hingehen und ihm meine Zigarettenschachtel aus den Fingern reißen, aber ich lasse es dann doch, weil ich nicht weiß, wie Schweizer auf so etwas reagieren. Ich kann ja auch gar nicht beweisen, daß es meine Schachtel war. Ich meine, mein Name stand ja nicht drauf oder sowas.

Ich drehe mich wieder in die andere Richtung. Weil die Sonne so schön scheint, ärgere ich mich nicht mehr. Ich überquere eine Brücke, die über einen Fluß geht, und marschiere auf einen Kiosk zu. Dort kaufe ich eine neue Schachtel Zigaretten und eine deutsche Tageszeitung, obwohl ich überhaupt nie Zeitungen lese. Ich weiß auch nicht, warum ich sie kaufe. Vielleicht, weil Deutschland auf einmal nicht mehr da ist.

Es ist so, als habe sich das ganze riesengroße Land einfach verflüchtigt, und obwohl die Menschen hier auch noch Deutsch sprechen und auf den Schildern überall deutsche Sätze stehen, scheint es mir so, als ob Deutschland nur noch eine Ahnung wäre, eine große Maschine jenseits der Grenze, eine Maschine, die sich bewegt und Dinge herstellt, die von niemandem beachtet werden.

Ich setze mich mit meiner Zeitung an den Tisch eines Cafés, zünde mir eine Zigarette an und lasse den Rauch aus dem Mund heraus, ganz langsam. Auf einmal habe ich einen Rauchring gemacht, und dann noch einen, und dann einen dritten.

Ich bekomme einen kleinen Adrenalinstoß, weil mich das so irre freut, und ich puste noch einen Ring in die Luft. Es ist wirklich furchtbar einfach. Man muß nur die Zunge benutzen, und zwar muß man sie so ganz leicht nach vorne schnalzen lassen, im Mund.

Der Kellner kommt an den Tisch und fragt mich, was ich haben möchte, und ich sage, ich möchte so ein Bier mit dieser roten Brause drinnen, die ich vorhin in dem anderen Straßencafé gesehen habe. Er versteht nicht, was ich will, und ich mache noch einen Rauchring, und dann versteht er plötzlich doch, was ich meine. Bier mit Grenadine heißt das Zeug. Eine Panache, mit der Betonung auf dem ersten A.

Das Getränk kommt. Es schmeckt wie Bier mit Sirup. Es ist ein bißchen zu süß, aber das liegt daran, daß der Sirup sich unten im Bierglas sammelt und man mit dem Strohhalm rühren muß, sonst kommt wirklich nur Sirup durch. Ich schlage die Zeitung auf und lese ein paar Artikel über irgendwelche Theateraufführungen in München, und dann blättere ich die Zeitung zurück, auf die ersten paar Seiten. Und dann lese ich den Artikel über den Millionärssohn, der während einer Party am Bodensee ertrunken ist.

Ich sehe immer wieder Rollos Namen auf der Seite. Rollo, der erst morgens früh um acht gefunden worden ist, nachdem sich sein Abendanzug in den Ästen eines Baumes verheddert hat, der direkt am Wasser stand. Rollo, in dessen Magen man eine Überdosis Valium gefunden hat und eine viel zu große Menge Alkohol. Rollo, der Gastgeber der Party, der es allen immer recht machen wollte. Rollo, der junge Millionärserbe, dessen Vater in Indien ist und dessen Mutter in einer Anstalt in der Nähe von Stuttgart.

Der rote Sirup klebt mir im Mund. Ich denke an Rollos Wagen, der am Flughafen steht, und daran, wie lange der da jetzt wohl stehen wird. Das ist das erste, woran ich denke. Ich reiße den Artikel aus der Zeitung heraus, falte ihn und stecke ihn in die Tasche meines Jacketts. Dann lege ich einen Zehn-Franken-Schein auf den Tisch, unter das leere Bierglas, stehe auf und marschiere die Straße hinunter, am Fluß entlang.

Eine kleine Gasse führt hinauf ins Niederdorf, da biege ich rechts ab, und dann bin ich auf einem Platz, zwischen lauter alten Häusern und einer steinernen Kirche. Ich denke, da gehe ich jetzt mal hinein, vielleicht wegen Rollo, aber leider ist die große Eingangstür geschlossen, weil es eine protestantische Kirche ist, und die müssen nicht immer offen haben, so wie die katholischen Kirchen.

Ich laufe auf dem ausgetretenen Kopfsteinpflaster kleine Hügel hinauf und hinab, und das ist ganz schön anstrengend. Links und rechts sind Buchhandlungen und Elektrofachgeschäfte in den alten Häusern, und ein Pornokino sehe ich auch. Oben sind Inschriften von 1561 in die Hauswände eingelassen, und unten sind Pornokinos. In Deutschland wäre das alles viel schlimmer. Hier in der Schweiz macht es nicht so viel aus.

Ich denke daran, daß die Schweiz so ein großes Nivellier-Land ist, ein Teil Deutschlands, in dem alles nicht so schlimm ist. Vielleicht sollte ich hier wohnen, denke ich. Die Menschen sind auch auf eine ganz bestimmte Art attraktiver. Die Frauen haben so komische Himmelfahrtsnasen, und sie tragen alle Kleidung, die japanisch aussieht. Alles erscheint mir hier ehrlicher und klarer und vor allem offensichtlicher. Vielleicht ist die Schweiz ja eine Lösung für alles.

Meine einzige Erinnerung an die Schweiz ist eine Autofahrt mit meinem Vater. Ich war vielleicht sechs oder sieben, und wir fuhren am Genfer See entlang, nach Genf. Die Autobahnschilder waren grün und nicht blau, wie in Deutschland, und auf der rechten Seite gab es Weinberge, und links unterhalb der Autobahn ragten alte Schlösser in den See hinein. Ich saß hinter meinem Vater und guckte aus dem Fenster, spielte dabei mit einer Wollmütze, an der so Troddel befestigt waren. Irgendwann wurde es mir langweilig hinten im Auto, und ich nahm die Mütze und zog sie meinem Vater von hinten über den Kopf und auch über die Augen, bei Tempo 120. Das Auto fing an zu schlingern, und es gab riesigen Ärger. Was weiter passiert ist, habe ich vergessen, aber einen Unfall gab es nicht.

Auf einmal habe ich Lust, zurück ins Hotel zu gehen. Es ist warm auf den Straßen, und ich denke an die Kühle meines Hotelzimmers und an die Klimaanlage und an einen Drink in der Lobby. Ja, ich brauche unbedingt etwas zu trinken. Ich laufe also die Gassen wieder hinab, links, und dann rechts, bis ich ans Flußufer komme und gehe über die Brücke. Ein paar Fahnen mit Wappen drauf flattern im Wind. Diese Wappen sind mir alle fremd, aber sie sind hübsch. Stiere sind drauf und blau-weiße Muster. Ich glaube, das sind die Wappen der Schweizer Kantone.

Die vielen Schwäne sind immer noch da, unter der Brücke. Jetzt, wo es Abend wird, kommen sie vom See den Fluß hinaufgeschwommen. Es wird richtig Sommer. Eigentlich könnte man schon im Oberhemd herumlaufen, so warm ist es geworden in den letzten paar Tagen.

Während ich zur Bahnhofstraße zurücklaufe, denke ich an die Berge, die irgendwo hinter dem Zürichsee anfangen. Dort oben müßte man wohnen, auf einer Bergwiese, in einer kleinen Holzhütte, am Rande eines kalten Bergsees, der unterirdisch mit Schneewasser gespeist wird. Vielleicht müßte ich noch nicht mal auf diese Insel mit Isabella Rossellini, vielleicht würde es auch reichen, wenn ich mit ihr und den Kindern in dieser kleinen Hütte wohnen würde.

Jetzt, wenn der Sommer kommt, würden die Bienen summen, und dann würde ich mit den Kindern Ausflüge machen bis an die Baumgrenze, durch die dunklen Wälder streifen, und wir würden uns Ameisenhaufen ansehen, und ich könnte so tun, als würde ich alles wissen. Ich könnte ihnen alles erklären, und die Kinder könnten niemanden fragen, ob es denn wirklich so sei, weil sonst niemand da oben wäre. Ich hätte immer recht. Alles, was ich erzählen würde, wäre wahr. Dann hätte es auch einen Sinn gehabt, sich alles zu merken.

Ich würde ihnen von Deutschland erzählen, von dem großen Land im Norden, von der großen Maschine, die sich selbst baut, da unten im Flachland. Und von den Menschen würde ich erzählen, von den Auserwählten, die im Inneren der Maschine leben, die gute Autos fahren müssen und gute Drogen nehmen und guten Alkohol trinken und gute Musik hören müssen, während um sie herum alle dasselbe tun, nur eben ein ganz klein bißchen schlechter. Und daß die Auserwählten nur durch den Glauben weiterleben können, sie würden es ein bißchen besser tun, ein bißchen härter, ein bißchen stilvoller.

Von den Deutschen würde ich erzählen, von den Nationalsozialisten mit ihren sauber ausrasierten Nacken, von den Raketen-Konstrukteuren, die Füllfederhalter in der Brusttasche ihrer weißen Kittel stecken haben, fein aufgereiht. Ich würde erzählen von den Selektierern an der Rampe, von den Geschäftsleuten mit ihren schlechtsitzenden Anzügen, von den Gewerkschaftern, die immer SPD wählen, als ob wirklich etwas davon abhinge, und von den Autonomen, mit ihren Volxküchen und ihrer Abneigung gegen Trinkgeld.

Ich würde auch erzählen von den Männern, die nach Thailand fliegen, weil sie so gerne mächtig und geliebt wären, und von den Frauen, die nach Jamaica fliegen, weil sie ebenfalls mächtig und geliebt sein wollen. Von den

Kellnern würde ich erzählen, von den Studenten, den Taxifahrern, den Nazis, den Rentnern, den Schwulen, den Bausparvertrags-Abschließern, von den Werbern, den DJs, den Ecstasy-Dealern, den Obdachlosen, den Fußballspielern und den Rechtsanwälten.

Das wäre aber alles eigentlich auch etwas, das der Vergangenheit angehören würde, dieses Erzählen da oben an dem Bergsee. Vielleicht bräuchte ich das alles nicht zu erzählen, weil es die große Maschine ja nicht mehr geben würde. Sie wäre unwichtig, und da ich sie nicht mehr beachte, würde es sie nicht mehr geben, und die Kinder würden nie wissen, daß es Deutschland jemals gegeben hat, und sie wären frei, auf ihre Art.

Ich gehe durch die Lobby des Hotels, laufe am Zeitungsstand vorbei und setze mich in einen der Sessel. Ein Hotelkellner kommt, und ich bestelle einen Scotch mit Soda, schreibe ihn auf die Zimmer-Rechnung und trinke ihn aus. Eine Silberschale mit Salznüssen steht auf dem Tisch, aber ich esse keine davon. Diese leichte Klaviermusik, die in fast jeder Hotellobby zu hören ist, die gibt es hier nicht. Ich glaube, deswegen ist es ein gutes Hotel.

Ich sitze noch eine Weile herum und bestelle mir einen zweiten Scotch mit Soda. Irgendwo habe ich mal gelesen, daß das Grab von Thomas Mann in der Nähe von Zürich liegt, oben, auf einem Hügel über dem See. Thomas Mann habe ich auch in der Schule lesen müssen, aber seine Bücher haben mir Spaß gemacht. Ich meine, sie waren richtig gut, obwohl ich nur zwei oder so gelesen habe. Diese Bücher waren nicht so dämlich wie die von Frisch oder Hesse oder Dürrenmatt oder was sonst noch so auf dem Lehrplan stand.

Ich bestelle beim Portier ein Taxi, und als es kommt, drücke ich ihm fünf Franken in die Hand. Er hält mir die Tür auf, ich steige ein und sage dem Fahrer, ich möchte nach Kilchberg, zu dem Friedhof dort.

Während wir aus der Stadt herausfahren, redet der Taxifahrer über die Steuern, und da er aus dem Tessin kommt, merkt er nicht, daß ich kein Schweizer bin. Er schimpft und schimpft, aber nicht so richtig, eher so, als wolle er nur reden. Ich sage immer ja, und dann hake ich manchmal so nach, obwohl es mich nicht interessiert. Es stört mich aber auch nicht.

Wir fahren links am See vorbei. Die Straßen haben merkwürdige Namen. Mythenquai heißt eine Straße, und ich denke daran, wie charmant und antiquiert die Dinge hier klingen, so, als würden die Schweizer mit der deutschen Sprache ganz anders umgehen, aus dem Innersten der Sprache heraus, meine ich.

In dem Moment fällt mir ein, daß ich Alexanders Barbourjacke im Hotel zurückgelassen habe, weil es vorhin zu warm war. Jetzt wird es draußen Abend, und ich hätte sie gerne dabei. Ich überlege ganz kurz, ob ich dem Fahrer nicht sagen soll, er möge doch umkehren, damit ich die Jacke holen kann, aber er redet immer noch über seine Steuererklärung in seinem schönen italienischen Schweizerdeutsch, und deswegen lasse ich es sein. Die Fahrt geht an alten Fabriken vorbei, und rechts der Straße kommt jetzt tatsächlich die Lindt-Schokoladenfabrik. Als wir vorbeifahren, riecht es nach dicker, brauner Schokoladenmasse, die in riesengroßen Metall-Bottichen vor sich hin köchelt.

Dann biegen wir rechts ab und fahren den Hügel hoch, Richtung Kilchberg. Ich zünde mir eine Zigarette an. Der

Fahrer sieht einmal so halbkritisch in seinen Rückspiegel, aber ich tue so, als hätte ich es nicht gesehen, obwohl unsere Augen sich ja im Spiegel getroffen haben. Wenn es ein Nichtrauchertaxi ist, dann soll er es doch sagen, anstatt so strafend in den Rückspiegel zu schauen. Wir fahren durch ein kleines Dorf, biegen an der Kirche links ab, der Fahrer hält und sagt, da hinten sei der Friedhof.

Ich gebe ihm sein Geld, schlage die Wagentür zu und gehe auf dem kleinen Kiesweg durch das Friedhofstor. Die Sonne ist schon untergegangen. Es wird jetzt ernsthaft Abend. Die Luft wird von Minute zu Minute kühler.

Vom Friedhof aus kann man über den ganzen Zürichsee blicken. Eine alte Frau auf Krücken geht zwischen den Gräberreihen hin und her, und bleibt dann vor einem Grab stehen. Eine ihrer Krücken legt sie auf den Rasen, mit der anderen Krücke stützt sie sich auf. Sie steht halb zur Seite gebeugt. Irgendwo bellt ein Hund.

Es ist schwierig, auf einem Friedhof ein ganz bestimmtes Grab zu suchen, wenn man nicht weiß, wo man suchen soll. Ich habe einmal ein Foto gesehen, auf dem war das Grab abgebildet. Es muß so ein großer grauer Steinblock sein, wo Thomas Mann draufsteht, und natürlich auch Katia Mann und noch jemand aus der Familie.

Ich laufe umher und suche, aber es wird immer dunkler. Dann suche ich die Frau mit den Krücken, weil sie mir sicher sagen könnte, wo genau das Grab liegt, aber sie ist weggegangen. Schließlich nehme ich meine Schachtel Streichhölzer und zünde eines nach dem anderen an, vor jeder Grabinschrift. Die Schachtel ist bald leer, deswegen nehme ich eine kleine Grableuchte aus Plastik, zünde die Kerze darin an und laufe weiter zwischen den Reihen hin und her. Ich beuge mich hinunter und versuche zu lesen, was da steht. Es hat keinen Zweck. Ich sehe nichts mehr. Das Kerzchen ist nicht hell genug. Das kann doch einfach nicht wahr sein. Ich finde das blöde Grab von Thomas Mann nicht.

Jetzt ist es fast Nacht. Ich setze mich an den Rand eines Grabes, um erst einmal in Ruhe eine Zigarette zu rauchen. Der Hund, der vorhin gebellt hat, streunt dort hinten herum, bei den etwas neueren Gräbern, dort, wo die Blumen etwas frischer sind. Es ist ein großer, schwarzer Hund. Ich kann ihn fast nicht erkennen. Eigentlich ist er nur der Schatten eines Hundes, der sich bewegt. Ich höre aber, wie er schnuppert, wie seine Schnauze zwischen den Blumen hin und her fährt. Dann ist es still. Der Hund setzt sich hin, und er kackt tatsächlich auf eines von den Gräbern. Das kann ich genau erkennen, ich schwöre es.

Ich mache ein paar Geräusche, um ihn wegzuscheuchen, aber er geht nicht weg. Er kackt da einfach friedlich vor sich hin. Ich nehme die kleine Grableuchte, zünde mir daran eine Zigarette an und werfe sie in Richtung des Hundes. In der Luft geht die Kerze aus, und ich höre sie fallen, aber ich bin mir sicher, daß ich den idiotischen Hund nicht treffe.

In dem Moment fällt mir ein, daß der Hund vielleicht auf Thomas Manns Grab gekackt haben könnte, und ich stehe auf und laufe in die Richtung, in die ich das Kerzchen geschleudert habe. Die Plastik-Grableuchte liegt da, aber der große schwarze Hund ist verschwunden. Ich gehe zu dem Grabstein hin und fahre mit den Fingern über die Inschrift, aber es fühlt sich wirklich nicht so an wie der Name von Thomas Mann. Schade. Streichhölzer habe ich keine mehr. Ich hätte gerne gesehen, wer da begraben liegt.

Weil es wirklich ziemlich kühl geworden ist, knöpfe ich mir mein Tweedjackett zu, stecke die Hände in die Hosentaschen, gehe durch das Friedhofstor wieder hinaus und marschiere den Hügel hinab, zum See. Ich hatte gedacht, der Weg wäre kürzer. Die Straße macht immer wieder eine Kurve, wie mir scheint, immer in die falsche Richtung.

Ab und zu fährt ein Auto vorbei und blendet mich, und ich halte mir den Arm vor die Augen. Rechts unter mir ist ein kleiner Bahnhof, und ich überquere die Gleise. Dann kommen ein paar Geschäfte und eine Dorfkneipe, und schließlich eine Hauptstraße, und da ist dann der See. Drüben am anderen Ufer leuchten die Lichter.

Ich setze mich eine Weile an den Rand des Sees. Rechts neben mir ist so eine Anlegestelle für Ausflugsdampfer, bloß um die Uhrzeit kommt kein Schiff mehr. Am Schiffsanleger sitzt ein Mann in einem Ruderboot und raucht eine Zigarette. Die rote Glut leuchtet, wenn er an seiner Zigarette zieht, und das Leuchten spiegelt sich im Wasser des Sees. Ich beobachte ihn eine ganze Weile, vielleicht zehn Minuten, wie er raucht und wie er die Asche ins Wasser fallen läßt, so daß es zischt. Als er fertig geraucht hat, gehe ich auf ihn zu.

Das Boot dümpelt im Wasser vor sich hin. Ich sage guten Abend, und der Mann sieht hoch und guckt mich an. Ich mache meine Schultern gerade, so, als ob ich mehr Mut hätte, und frage den Mann, ob er mich auf die andere Seite des Sees rudern würde, für zweihundert Franken. Er überlegt eine Weile und dann sagt er ja, er würde es schon machen.

Ich steige ins Boot und setze mich auf die Holzplanke, und der Mann schiebt die Ruder durch diese Metalldinger und rudert los. Bald sind wir in der Mitte des Sees. Schon bald.